El abuso sexual

El abuso sexual

La verdad acerca de los abusos sexuales

Un libro para chicas adolescentes, mujeres jóvenes
y quienes las ayudan

DRA. PATTI FEUEREISEN

con

CAROLINE PINCUS

 Neo Person

Título original: *Invisible Girls*

© 2005, Dra. Patti Feuereisen y Caroline Pincus

Traducción: Rocio Moriones

Diseño de portada: Rafael Soria

De la presente edición en castellano:
© Neo Person, 2005
   Alquimia, 6
   28933 Móstoles (Madrid) - España
   Tels.: 91 614 53 46 - 91 614 58 49 - Fax: 91 618 40 12
   E-mail: contactos@alfaomega.es
   www.alfaomega.es

Primera edición: octubre de 2006

Depósito Legal: M. 42.588-2006
I.S.B.N. 10: 84-95973-30-8
I.S.B.N. 13: 978-84-95973-30-6

Impreso en España por: Artes Gráficas COFÁS, S.A. - Móstoles (Madrid)

Queda prohibida, salvo excepción prevista en la ley, cualquier forma de reproducción, distribución, comunicación pública y transformación de esta obra sin contar con autorización de los titulares de propiedad intelectual. La infracción de los derechos mencionados puede ser constitutiva de delito contra la propiedad intelectual (artículos 270 y siguientes del Código Penal). El Centro Español de Derechos Reprográficos (www.cedro.org) vela por el respeto de los citados derechos.

Para mi hija, Aviva;
para Ruby, hija de Caroline,
y para todas *las hijas de cualquier parte*
del mundo

Índice

Agradecimientos

POR SUPUESTO, A LAS PRIMERAS PERSONAS a las que quiero dar las gracias son a mis maravillosas pacientes, a los cientos de mujeres jóvenes con las que se me ha concedido la bendición de poder trabajar a lo largo de los años. Y a todas las mujeres que he conocido en los talleres que he impartido. Su valentía e inteligencia rebosan vitalidad e inspiración.

También debo dar las gracias a Caroline Pincus. Ella es la extraordinaria comadrona de este libro y, además, mi nueva y querida amiga. Ella dio vida a mis palabras. Agradezco a su familia, Esther y Ruby, su apoyo al cederme algo de su tiempo con Caroline. Doy gracias a mi agente, Loretta Barrett, por su apoyo y su fe inquebrantables, y por haberme puesto en contacto con Caroline. También quiero dar las gracias a Gabe y a Rick, de Barrett Books. Doy las gracias a mi grupo de amigas por su profunda amistad y por estar siempre dispuestas a ayudarme: Candy Talbert, Connie Grappo, Jane Dorlester, Mary Walker, Mary Krauss, Robin Kahn, Liz Hoffman, Pam Wheaton, Tracy Gilman, Elizabeth Haase y mi más reciente amiga, Toni Iacolucci. Quiero dar las gracias especialmente a Serena Schrier, que estuvo desde el principio dispuesta a ayudarme y me dio masajes durante el proceso de redacción de este libro.

Gracias a Lyn Mikel Brown por su franqueza, por hacer una primera lectura y por realizar importantes contactos académicos. También quiero darle las gracias a Kay Jackson, por hacer una primera lectura y por su apoyo constante. Gracias a Joan Bossert, de Oxford Press, por creer profundamente en este proyecto. Un agradecimiento especial a todas aquellas mujeres de Seal Press, que me apoyaron en este proyecto con su comprensión y entusiasmo: a Ingrid Emerick, por su apoyo editorial inicial; a Krista Rafanello, por su increíble apoyo y su trabajo de relaciones públicas; a Krista Lyons-Gould, por su extraordinaria sensibilidad y comprensión; a Jane Musser, por su paciencia y perseverancia en el diseño de la cubierta (de la edición original en inglés); a Denise Silva, por ayudarme a dar forma a la sección de Centros de Recursos; y por último, a la presidenta de Avalon, Susan Reich, por su respuesta positiva inmediata y su fe en el proyecto. Agradezco a todos los maravillosos estudiantes y miembros del Edward R. Murrow High School su participación en este proyecto. Quiero expresar mi agradecimiento, de manera especial, al señor Kingston, a la señora Wachtel, al señor D., al señor Abdul-Wali y a la señora Pindar por estar tan abiertos a las ideas y a los sentimientos de las adolescentes, y al tema del abuso sexual.

Gracias a mi hija, Aviva, por ser tan maravillosa y una adolescente extraordinaria. Ella es una fuente constante de amor y de orgullo. Por último, quiero dar las gracias a mi ancla, mi marido Mark, por su amor, devoción y apoyo, y por ser el hombre más maravilloso que conozco.

... y de parte de Caroline...

El hecho de colaborar, en su sentido más amplio, enriquece no sólo el producto final, sino también a las personas que han estado implicadas en él. Sin duda, esto es lo que me ha ocurrido durante el proceso de redacción de *El abuso sexual*. Le estoy profundamente agradecida a Patti Feuereisen, por darme un empujón para que me pusiera en el papel de coautora (a pesar de que he estado editando libros durante más de veinte años, ésta es mi primera y auténtica aventura como coautora), y a nuestra agente, Loretta Barrett, fundamentalmente, por presentarnos. Desde el momento en que Loretta me mostró la primera propuesta de borrador de este libro, supe que quería trabajar con Patti. Ella es una mujer extraordinaria y valiente, y me siento honrada por haber hecho este libro realidad.

También agradezco a las maravillosas mujeres de Seal Press su compromiso hacia libros que «los grandes» editores tienen miedo a tratar; libros que ofrecen a las chicas adolescentes y a las mujeres auténtico apoyo para que asuman poderes.

Agradezco a la familia de Patti que la compartieran conmigo durante los últimos años y que aportaran sus propias ideas creativas al proyecto. Y finalmente, a mi hija Ruby, por tener unos cinco años maravillosos, y a mi mujer, Esther, cuya confianza y fe en mí es una especie de milagro.

Recibiendo a Pandora

Mi versión del antiguo mito griego

SEGÚN EL MITO GRIEGO, Pandora fue la primera mujer, al igual que Eva en la mitología hebrea. Se dice que ella recibió muchos, muchos dones de los dioses; de ahí su nombre, Pandora, que significa «la dotada de todo» o «todos los dones». Afrodita le dio la belleza; Apolo le dio el talento musical y el don de curar; Hermes le dio una caja y le dijo que no la abriera. ¡Y después le dio la curiosidad!

Allí estaba ella, con esa caja maravillosa en la mano que se le había ordenado no abrir. Pandora, como mujer inteligente y enérgica, desafiando el patriarcado, abrió la caja. De allí prorrumpieron todos los grandes desastres del mundo, incluido el dolor de todas las adolescentes y mujeres de las que alguna vez se ha abusado sexualmente.

Es posible que otros hubieran tenido miedo de dejar que todos esos problemas salieran de la caja, pero Pandora sabía que cuando mantienes una caja cerrada también estás encerrando la esperanza. Ella sabía que la esperanza estaba en abrir la caja, en revelar la verdad, en liberar el trauma. Ella no tenía miedo. Sabía que cada vez que el trauma sexual de las mujeres sale de esta caja y se libera al mundo, las chicas se curan.

Os invito a todos vosotros a que abráis conmigo la caja de Pandora.

Bienvenida

GRACIAS POR COMPRAR ESTE LIBRO. Una de cada cuatro adolescentes en Estados Unidos sufrirá abusos sexuales antes de los dieciséis años. Este libro es para todas vosotras. Por favor, quienesquiera que seáis, sabed que ¡no estáis solas!

Si tú eres una superviviente de abusos sexuales, quiero darte una bienvenida especial. Ya estés inmersa de lleno en la curación del trauma del abuso, o ya estés admitiendo por primera vez —quizás, incluso, ante ti misma— que abusaron de ti, espero que este libro te parezca un paso importante en tu proceso de curación.

Este libro está lleno de historias de supervivientes, y puede que te provoquen sentimientos intensos y recuerdos dolorosos. Por favor, siéntete libre para saltarte pasajes y para leer el libro en dosis que seas capaz de soportar. Puede que quieras hacer un diario para escribir tus pensamientos, sentimientos y recuerdos. Si ahora mismo no estás recibiendo ningún apoyo, esperamos que pronto encuentres a alguien en quien puedas confiar y con quien puedas compartir los sentimientos que te provocan la lectura de este libro.

Si no tienes a nadie con quien hablar, o no puedes encontrar una ayuda inmediata, o no estás preparada para hablar abiertamente con alguien de tu propio entorno, por favor, debes saber que siempre puedes escribirme personalmente a mi página web, www.girlthrive.com *.

El abuso sexual descubre también el tema de la violación a la sociedad y a la cultura en general. Ofrece una ventanilla al mundo de las adolescentes y de las mujeres supervivientes de abusos. Nunca antes has oído las voces de las jóvenes supervivientes de esta manera. A los profesionales clínicos y médicos; padres; departamentos de orientación de colegios y universidades; estudiantes de psicología; personal de centros de apoyo a víctimas de violación y de centros psiquiátricos para adolescentes y jóvenes adultos; clases de psicología del colegio y la universidad; compañeros de las víctimas y parientes de los abusadores: *El abuso sexual* os conducirá a nuevas respuestas y a un conocimiento más profundo sobre este tema, y os puede ayudar a transformar la cultura de la vergüenza y el secretismo que rodea el abuso.

Durante mis veinte años de trabajo con supervivientes de abusos sexuales, nunca he dejado de sorprenderme por la ingenuidad y la inteligencia de las chicas, por su habilidad para progresar incluso a través de experiencias horribles. He aprendido muchísimo de ellas. He aprendido cómo se han enfrentado a las situaciones, cómo han encontrado consuelo en el mundo, cómo han prosperado en sus vidas y han encontrado un amor bueno y saludable. Estas chicas son mis maestras, y ahora algunas de ellas han dado el paso de compartir sus viajes con vosotras.

Las historias, frases, temas y poesías incluidos en este libro fueron aportaciones de algunas de los cientos de chicas con las que he trabajado a lo largo de los años. Son jóvenes a las que conozco personalmente y quiero que vosotros también las co-

---

* También te puedes dirigir a las instituciones de defensa del menor, a cualquiera de las asociaciones de mujeres maltratadas o a los cuerpos de seguridad, que cuentan (como en el caso de España) con equipos especializados de ayuda a la mujer [SAM y SAF]. *(N del T)*

nozcáis, y que crezcáis y aprendáis de su fuerza y de sus experiencias. Todas se sienten agradecidas por tener la oportunidad de llegar a vosotras. Sin embargo, para preservar su privacidad y seguridad, les pedí que eligieran un seudónimo. Con una perfecta sincronía, algunas chicas me pidieron si se podían poner nombres de piedras preciosas, otras de flores, y me di cuenta de que era algo perfecto; así serían contempladas en todo su esplendor, belleza y luminosidad: Rosa, Margarita, Coral, Rubí, Esmeralda, Hiedra, Salvia, Ágata, Violeta, Cristal, Azucena, Perla...

Para mí, cada una de estas chicas —y cualquier otra que haya sido víctima de abusos sexuales que encuentre su voz, que encuentre a alguien a quien pueda contar su historia— es una heroína. Ya seas, o no, una superviviente, te invitamos a que te unas a estas chicas extraordinarias en su movimiento para acabar con el silencio, para liberar la vergüenza, la culpa y el miedo, y para comenzar la curación del espíritu colectivo de las jóvenes de todo el mundo.

Introducción

«Cuando tenía dóce años mi padre me explicó que yo
era una chica precíosa y que tenía que acostarse conmigo
porque él era un hombre hambriento. Me dijo que no se
podía poner un plato de espaguetis frente a un hombre hambriento y esperar que éste no se lo comiera.»

Una superviviente de incesto, de veintidós años

LAS CHICAS QUE ESTÁS A PUNTO de conocer no son las
adolescentes en las que pensamos normalmente cuando oímos
las palabras «abuso sexual». Como tú, son chicas normales,
muy trabajadoras y aplicadas; chicas del equipo de fútbol, de
la pandilla; chicas de primaria y secundaria de colegios pri-
vados y públicos; chicas que van a ir a universidades de
prestigio, así como chicas que ya están en la universidad y
chicas que están comenzando a ejercer sus carreras. Provienen de entornos de clase alta, media y clase trabajadora. Son
descendientes de europeos, asiáticoamericanos, latinoame-
ricanos y afroamericanos, y profesan distintas religiones.
Chicas de las que «nunca pensarías» que abusaron o estuvieron abusando. Las llamo «chicas invisibles» porque desa-
fían nuestros estereotipos. Y la realidad es que exterior-
mente nadie puede decir si han sido, o no, víctimas de
abusos sexuales.

A lo largo de este libro oirás directamente la voz de las chicas que han sufrido abuso sexual. Ellas mismas contarán sus historias de incesto, violación en una cita, violación por un conocido o violación por su tutor. Muy a menudo, como verás, se preguntan: «¿Por qué a mí?» o «¿Por qué no se lo impedí?». Incluso hoy en día el tema del abuso sigue todavía rodeado de tal rechazo cultural, tal culpa y vergüenza personal, que a menudo las jóvenes sienten que es culpa suya.

«Cuando vives en la misma casa junto a un depredador, tu sexto sentido está alerta y no hace más que darte señales de alarma. Antes incluso de que él se plantee el asunto en cuestión, tú ya sabes que esa noche él va a hacer algo. La lucha se produce sólo en la superficie, un ligero cambio de miradas, de utilizar los cuerpos de las personas de alrededor para intentar y planear tu escapada. Es inútil, y tú lo sabes. En la historia de Disney, Bambi tuvo una oportunidad: la de correr tan rápido como pudo en campo abierto. Esto no quiere decir que lo conseguirá, pero puede correr. Yo no sabía que podía, porque nadie me había enseñado cómo hacerlo. Me llevaría un tiempo aprenderlo, después de que todo el mal ya estaba hecho.»

Una superviviente de incesto, de veintidós años

Al fin y al cabo, los chicos siempre serán chicos

¿Por qué no se lo impediste? Ésta es una pregunta que las supervivientes de abuso sexual no dejan que preguntarse a sí mismas. Sin embargo, hay muy buenas razones por las que no se lo impediste. No se lo impediste porque vivías bajo «su» mismo techo; porque dependías de él económicamente; porque tu abusador tejió una red de miedo y engaño a tu alrededor; porque tú estabas confundida; porque eras joven y no tenías a mano buenas opciones o un fuerte sistema de apoyo.

Este libro te ayudará a tratar esos sentimientos de engaño para que te des cuenta de que el abuso sexual ni ha sido culpa tuya, ni tú, en ningún caso, hiciste nada para provocar que abusaran de ti. *¿Por qué no se lo impediste?* No se lo impediste porque vivimos en una cultura en la que «los chicos siempre serán chicos»; una cultura que, a través de sus cuentos de hadas, películas y anuncios, fomenta insistentemente la creencia sexista de que las adolescentes están dispuestas a tener sexo en cuanto sus cuerpos se desarrollan; una cultura que insinúa que lo que esas chicas «realmente quieren» es que los hombres mayores abusen de ellas; una cultura que todavía cuestiona el papel de la víctima en el crimen sexual, ya sea una adolescente violada por su tío («¿No estaría ella flirteando con él?») o una chica violada por el joven con el que salía («¿No le estaría ella conduciendo a eso?» «¡A saber qué ropa llevaría ella puesta!»). Vivimos en una cultura en la que un gobierno dominado por hombres dicta las leyes sobre violación e incesto, pornografía, abuso a niños, abuso dentro del matrimonio y aborto; leyes que afectan directamente la salud y la felicidad de las mujeres. Dicho de forma simple, vivimos en una cultura en la que no se respeta a las mujeres y a los niños; donde la sexualidad, especialmente la femenina, es una mercancía, algo que se utiliza para vender productos o para satisfacer los deseos masculinos; donde las mujeres, y especialmente las afroamericanas, se muestran en los vídeos musicales, prácticamente, como prostitutas. En esta cultura, los hombres siguen abusando de las chicas en proporciones asombrosas.

La tapadera histórica

El hecho vergonzoso es que el contacto sexual forzoso sin consentimiento —desde los tocamientos inapropiados a la sodomía y la violación— es algo que se ha dado a lo largo de la historia, y en Estados Unidos (como en otros países occidentales) nunca fue reconocido de modo general como crimen hasta que, en la década de los setenta, las mujeres comenzaron a hablar de ello. Ya a finales del siglo XIX, el padre de la psiquiatría moderna, Sigmund Freud, se esforzó por hacer público el trauma del incesto. Freud empezó a preocuparse cada vez más a medida que una paciente tras otra —mujeres adineradas de familias tradicionales— describían abusos sexuales a manos de sus padres, tíos, amigos de la familia u hombres de la familia. En un principio, estudió a estas mujeres y a su mundo, y se apresuró a presentar sus asombrosos descubrimientos a sus colegas (algunos de los cuales, como ahora se sabe, también estaban abusando de sus propias pacientes y nietas). Él fue duramente ridiculizado y severamente reprendido por la comunidad profesional. Para redimirse a sí mismo, «reconsideró» todo el asunto y decidió que estas mujeres sólo habían fantaseado sobre el abuso; que sus relatos no eran más que un deseo elaborado de ser forzadas a tener sexo con sus padres, tíos ¡e incluso con sus terapeutas! Esto es lo que se ha dado a conocer como «teoría de la seducción» y estableció un precedente para que, durante los siguientes cien años, no se creyera a las víctimas de abusos sexuales.

El destape feminista

Sin embargo, en la década de los setenta las mujeres empezaron a hablar sobre sus experiencias de incesto y de abuso, y los médicos feministas las secundaron. En el campo médico se pusieron en duda y se criticaron las teorías de Freud. Y con el trabajo de estudiosas pioneras como Judith Lewis Herman y Diana Russell, así como con la publicación de *Conspiracy of Silence,* de Sandra Butler, y de la autobiografía personal de incesto de Louise Armstrong, *Kiss Daddy Goodnight*, el silencio y la incredulidad en torno al incesto y el abuso se fue resquebrajando lentamente. Pero no fue hasta la publicación de *The Courage to Heal,* de Ellen Bass y Laura Davis, en 1988, cuando el tema salió verdaderamente a la luz. En este libro hay docenas de mujeres que hablan sobre el trauma que están sufriendo por los abusos sexuales que experimentaron cuando eran niñas. Y también permitió a las mujeres creer en sí mismas de una forma más profunda.

Sin embargo, a pesar de que todos estos libros son inestimables, todos ellos cuentan la historia del abuso desde la perspectiva de un adulto.

En la década de los noventa, chicas adolescentes y mujeres jóvenes empezaron a escribir sus propios libros. Escribieron sobre amor, vida, familia, sexo, drogas, depresión y trastornos alimenticios. *Ophelia Speaks,* de Sara Shandler, es el mejor ejemplo conocido. Después, las mujeres que habían sufrido abusos sexuales empezaron a publicar folletos y a escribir canciones sobre ello. Ahora, en nuestro libro, oiremos en sus propias palabras no sólo sus historias sobre abuso sexual, sino también sobre su curación.

La realidad es que las niñas y las jóvenes son inteligentes y resistentes, y pueden curarse del trauma del abuso sexual. Cuando se da a las supervivientes la oportunidad de hablar en un entorno seguro acerca del abuso al que han sido sometidas, de liberar los sentimientos confusos de vergüenza, culpa y autoculpa, tienen todas las posibilidades de curarse y de tener, como adultas, unas vidas y unas relaciones maravillosas y satisfactorias.

Habla de ello ahora. Si te guardas el abuso para ti cuando tienes veinte, treinta, cuarenta o más años, ello te puede privar de unas relaciones saludables y amorosas, y de la autoestima, porque nunca tienes la posibilidad de procesar la vergüenza y el secreto. Como las supervivientes descubren una y otra vez, el hecho de no contarlo puede conllevar vivir en un estado perpetuo de miedo y de excepticismo, así como una incapacidad para tener relaciones sexuales de confianza. El hecho de no hablar de ello puede significar no sentirse segura en el mundo. Y el hecho de mantenerlo en secreto te puede privar del amor y la alegría, a los que tienes derecho como ser humano.

No esperes para contarlo

Elisa, de treinta y cuatro años, es una superviviente de incesto que se fue de casa a los diecinueve, casándose con el primer hombre que se lo pidió. Ese matrimonio duró unos quince años, hasta que él le propinó tal paliza que tuvo que ser hospitalizada. Durante su estancia en el hospital, Elisa empezó a tener recuerdos vívidos del abuso sexual al que fue sometida en su niñez y, al final, la remitieron a mí. Le llevó muchos meses el confesarme que había sido superviviente de abuso sexual. Nunca se lo había contado a nadie.

Otra paciente, Sara, una trabajadora social de treinta años que había sobrevivido a un incesto a lo largo de su adolescencia, también lo había mantenido en perfecto secreto, y después de su segundo divorcio de un hombre que la maltrataba intentó suicidarse.

A María me la remitieron después de que fuera hospitalizada por depresión clínica. Ella era abogada. Había tenido pesadillas desde que su padrastro la violó cuando tenía catorce años. Finalmente, a los cuarenta y tres años, tuvo una crisis nerviosa.

Susana, de cincuenta y dos años y profesora de secundaria, era también una superviviente de incesto. Me vino a visitar cuando se estaba divorciando porque su marido había abusado de su hija, de quince años.

Juana, una artista de treinta y seis años, no podía dormir porque tenía pesadillas recurrentes. Había sobrevivido a una violación durante su primer año en la universidad y nunca se lo había contado a nadie.

He tratado a mujeres que han sufrido durante años de migrañas, náuseas, lapsos de memoria, relaciones fracasadas, pensamientos de suicidio, abuso de drogas y de alcohol; todos éstos, problemas derivados de una historia de trauma sexual.

En sus amistades, universidades, trabajos y relaciones estas mujeres mantuvieron sus secretos a buen recaudo, en un lugar seguro, e intentaron olvidarse de ellos. Pero como más tarde descubrirían, el olvido no funciona.

El hecho de trabajar con mujeres de treinta, cuarenta, cincuenta y sesenta años me convenció de que tenía que hacer lo imposible para ayudar a las jóvenes supervivientes a curarse de su abuso para que no tuvieran que soportar años de tormento.

A medida que empezaron a venir a mi consulta pacientes más jóvenes y comenzaron a hablarme de su abuso, su revelación tenía algo diferente. Por debajo de su dolor siempre había esperanza; el abuso no había tenido suficientes años para enterrarse en sus almas. De modo que, en 1993, cuando algunas de mis pacientes adolescentes me dijeron que querían crear un grupo de supervivientes, no dejé pasar la oportunidad y organicé un grupo, que se reunía en mi oficina; para llegar a un grupo aún mayor de chicas, empecé a realizar talleres gratuitos sobre abuso sexual en uno de los colegios más selectos de Nueva York. Las chicas empezaron a poner carteles para los talleres en los baños y muy pronto reuní un grupo muy activo de jóvenes, en un colegio de más de tres mil estudiantes, con gran diversidad social y étnica.

Una de mis técnicas más efectivas para ayudar a que las chicas de esos grupos se abrieran era que escribieran sus preguntas y experiencias de forma anónima en fichas y que, después, leyeran en alto las fichas de sus compañeras. La experiencia siempre tiene mucho éxito. El hecho de escuchar las preguntas y comentarios de las otras chicas abre las compuertas de los secretos durante tanto tiempo ocultos.

«Sobreviví a una violación el año pasado, pero nunca lo he contado.»

«Mi primo abusó de mí cuando tenía seis años. Yo nunca lo he contado.»

«¿Cómo puedo proteger a mi hermana pequeña? Creo que mi padre se está enrollando con ella como lo hizo conmigo.»

«Mi novio me forzó a tener sexo. Yo le dije que no. ¿Fui violada?»

«Ahora mis progenitores están divorciados, pero mi padre abusó de mí. Nunca se lo dije a mi madre, ni a nadie.»

«Estoy teniendo pesadillas relacionadas con el día en que mi primo abusó de mí. Nunca se lo he contado a nadie. Tengo miedo de lo que pueda ocurrir.»

A medida que las chicas se lo fueron contando unas a otras, una especie de red clandestina de jóvenes de colegios y universidades de otras zonas fueron trayendo más y más chicas a mis talleres, grupos de apoyo y sesiones de orientación. Muy pronto estaba tratando a cientos de supervivientes. Cuanto más hablaban, más fuertes y más seguras se volvían.

Una y otra vez fui testigo de que en cuanto esas chicas encontraban un lugar seguro para hablar, empezaban a contar sus experiencias y, a medida que las narraban, empezaban a curarse. Una joven me dijo: «Yo me sellé a cal y canto a mí misma. Pensé que si todo parecía normal desde fuera, quizá mi interior terminaría cambiando; pero nunca cambió hasta que admití lo que me había pasado y dejé de ocultarlo.» Otra chica comentó: «Yo solía decirme que nunca había pasado realmente, pero cuando empecé a hablar de ello y a afrontarlo se fue haciendo cada vez más pequeño, y lo mismo ocurrió con mi padre.» Y otra dijo: «Cuando empecé a contarlo, fue como si saltara de un tren de mercancías y llegara por fin a mi destino.»

Aquello de lo que fui testigo en cada una de las situaciones me convenció de que es mucho más fácil asimilar el trauma sexual durante la adolescencia y la temprana edad adulta que más tarde, en la madurez. Es lógico. En esa época es cuando somos más flexibles; todavía estamos creciendo y cambiando. Si puedes hablar de tu trauma cuando todavía eres joven, cuando todavía estás descubriendo quién eres, sencillamente no podrá echar raíces tan profundas. Entiende, son los secretos los que realmente nos causan el mayor daño. En todas estas jóvenes sentí una urgencia de recuperarse y una resistencia que no estaba presente en las mujeres de más edad, que habían dejado que el abuso que habían sufrido las corroyera durante diez, veinte o treinta años.

El origen de nuestro libro

El abuso sexual fue concebido a partir de esta demanda. Mis experiencias con estas chicas hizo que me diera cuenta de que cuanto antes reconocieran estas jóvenes el abuso, y lo sacaran del baúl de sus secretos mejor guardados, antes y mejor se curarían. Las chicas con las que trabajé fueron las que me instaron a publicar sus historias y experiencias. Querían llegar a más chicas, y crear un gran grupo de chicas adolescentes y mujeres jóvenes que contaran sus experiencias, se apoyaran y se curaran.

Según las estadísticas de la oficina del Ministerio de Justicia de Estados Unidos de 1997, el 44 por 100 de las víctimas de violación tienen menos de dieciocho años, y las más vulnerables a violaciones sexuales por parte de compañeros íntimos son las jóvenes entre dieciséis y veinticuatro años. A pesar del persistente bajo número de denuncias de incesto y otros crímenes sexuales, las estadísticas sobre abuso sexual en chicas adolescentes y mujeres jóvenes son sencillamente asombrosas. Las chicas que han vivido estas experiencias merecen ser escuchadas y poder escuchar a las demás. Escribí este libro para dar voz a las sin voz.

También lo escribí para ayudar a las chicas adolescentes y a las mujeres jóvenes que no hayan sufrido abusos sexuales a que sean conscientes de la realidad del abuso sexual, para que, a medida que descubren su sexualidad, estén más despiertas y más seguras, y para que sean más fuertes y resistentes, frente a una cultura que sigue definiendo a las jóvenes y a las mujeres según lo bien que satisfagan las necesidades de los hombres.

Las maravillosas adolescentes y mujeres jóvenes que hablan en este libro comparten sus experiencias de abusos sexuales continuados dentro de sus familias, así como el abuso puntual de un tío, un primo o del «amigo» de la familia. Comprenderás mejor la violación a manos de un conocido, la violación en una cita, la violación a manos de un desconocido, y las emociones y cuestiones específicas que tienden a surgir en cada una de estas situaciones. Por ejemplo, en el capítulo del incesto, una superviviente escribe un relato extenso de los seis años en los que su padre la estuvo violando, y cómo él la coaccionaba y controlaba a la familia. A través de su descripción, empezamos a ver y a sentir contra qué se rebela la superviviente de incesto, y aprendemos estrategias de supervivencia en esta experiencia infernal. En el capítulo de la violación, una superviviente escribe cómo ha sido incapaz de confiar en los jóvenes y en los hombres, o de conectar en una relación romántica, hasta que empezó a contarlo. Lo que aprendemos de todas estas chicas es que existe ayuda disponible, que la curación es posible y que el abuso sexual nunca ha sido culpa de la joven.

En 1997 se fundó la organización Generation Five con la misión de acabar en cinco generaciones con el abuso sexual a niños. Este libro es parte de ese trabajo. Cuanto más capaces sean las chicas de hablar y de acudir a alguien, más valor tendrán las otras chicas de hacer lo mismo. A medida que este tema vaya siendo menos tabú, más posibilidades habrá de realizar cambios: en la conciencia pública, en la jurisprudencia, en la política y en las opciones para las chicas que viven con abusadores o abusadores potenciales. Puede que tú no fueras capaz de impedir el abuso que te ocurrió, pero puedes empezar a recomponer tu vida y ayudar a otras chicas. Al final, juntas, haremos que sea imposible que los hombres salgan impunes después de haber descargado su propia rabia, ira, miedo o desesperación en las jóvenes y en las mujeres a través de la violencia sexual. Si ya no están abusando de ti, este libro te ofrecerá perspectiva y curación. Si actualmente estás viviendo en casa y alguno de tus familiares está abusando de ti, te dará un apoyo emocional muy importante y recursos, aunque no puedas marcharte de casa. Y si estás empezando a recordar los abusos que sufriste cuando eras niña, este libro te ayudará a encontrar la fuerza y a las personas correctas con las que poder hablar para que puedas empezar a curarte.

Sabemos que muchas chicas de las que se abusó sexualmente terminan desviándose en su vida: cayendo en las drogas, el sexo, la autodestrucción o los trastornos alimenticios. A menudo sienten que el abuso es su destino; el mapa trazado para sus vidas. Pero he trabajado con esas chicas y puedo decirte que todas ellas pueden curarse del abuso sexual. Yo tengo la esperanza de que, al arrojar algo de luz sobre este problema, pueda ayudarte a alejarte de algunas de las elecciones más oscuras que hicieron otras jóvenes víctimas de abuso sexual.

Hay ayuda

Si estás buscando ayuda urgente o continuada, por favor, investiga si hay alguna organización sobre abusos sexuales en tu ciudad. Normalmente encontrarás líneas de ayuda telefónica, páginas web y centros de ayuda psicológica. También puedes remitirte a mi página web, www.girlthrive.com, donde puedes encontrar recursos adicionales, un *chat,* una sección de preguntas y respuestas, y cartas de jóvenes mujeres.

Juntas, seremos como artistas construyendo un maravilloso mosaico; todas las teselas que necesitamos para reconstruir nuestra alma, con sus variados matices, imperfecciones y exquisitas complejidades multicolores, están aquí. Lo único que necesitamos es ponerlas en su lugar.

Hacia la luz

Las adolescentes y las mujeres tienen una gran capacidad de supervivencia, y de hacer un trabajo psicológico muy profundo, para curar su propio trauma. Ya sea a través de la ayuda psicológica, de la poesía, del arte, de escribir canciones o historias, o diciéndoselo a un amigo, a un terapeuta, a un pariente, al psicólogo del colegio o a un voluntario de una línea de ayuda telefónica para abusos sexuales, lo más importante que puedes hacer es decírselo a alguien, porque contarlo supone el principio de la curación.

Las chicas cuyas historias llenan este libro superaron heroicamente la vergüenza, la culpa y el tremendo lastre del secretismo. Todo empezó cuando se lo contaron a alguien. Todo lo que necesitaban era un lugar seguro y el permiso para poder revelar su secreto. Desde mi punto de vista, mi papel y el contenido de este libro consisten en proporcionar un entorno seguro para otras supervivientes de abusos sexuales, así como iluminar a aquellos que no han pasado por esta experiencia pero que se preocupan por estas chicas; ya sea un padre o una persona amada, un psicólogo o un educador. Si no eres una superviviente, serás testigo de lo verdaderamente resistente que es el espíritu humano. Si tú *eres* una superviviente, serás capaz de consolarte con el hecho de que no estás sola. Y si acabas de empezar el proceso de tu experiencia, este libro te puede ayudar a abrirte camino a través de la maraña oscura de sentimientos que has estado ocultando en tu interior. Juntas, encontraremos la luz.

Como escribió una superviviente de incesto, de dieciocho años: «De la montaña de suciedad, basura y mierda que se nos ha dado, podemos cultivar un pequeño campo de margaritas.»

PRIMERA PARTE

¿QUÉ HAY EN LA CAJA DE PANDORA? EL ABUSO SEXUAL Y CÓMO NOS AFECTA

CAPÍTULO 1

Pregúntale a la doctora Patti

Respuestas a preguntas de chicas sobre abuso sexual

A lo largo de los años, las chicas me han hecho cientos de preguntas sobre una gran variedad de sentimientos confusos, estadísticas y términos que rodean al abuso sexual. Estoy segura de que tú también tienes algunas preguntas, así que creo que será útil compartir algunas de las preguntas, comentarios y preocupaciones que me hacen con más frecuencia —y mis correspondientes respuestas— para ayudar a clarificar algunos de los malentendidos más comunes que rodean al abuso sexual, y a dirigirte a los capítulos que pueden ser más útiles para ti.

Querida doctora Patti:

No hago más que oír que el abuso sexual está muy extendido. Nunca han abusado sexualmente de mí y no tengo ninguna amiga de la que hayan abusado. ¿Es posible que las estadísticas estén equivocadas?

Pensativa

Querida Pensativa:

Desgraciadamente, es posible que *sí* conozcas a alguien que haya sufrido o sufra abusos sexuales, pero que, sencillamente, tú no lo sepas. Debido al estigma y a la vergüenza que rodea al abuso sexual, muchas jóvenes tienen problemas para contárselo a alguien, y eso significa, en todo caso, que las estadísticas que has oído probablemente son muy bajas, no muy altas. La última información que poseo (de un estudio de 1997 de la Commonwealth Fund) es que una de cada cuatro adolescentes experimentará algún tipo de abuso sexual antes de cumplir los dieciséis años; cualquier cosa, desde un incidente puntual en el que alguien tocó los senos de una chica sin su consentimiento hasta la experiencia de ser violada casi diariamente durante diez años por un familiar. Estas estadísticas son válidas para todos los grupos económicos y étnicos.

Querida doctora Patti:

Cuando tenía diez años, mi tío metió la mano por debajo de mi camisa y me tocó el pecho. Yo le paré. También se restregó contra mí e intentó retenerme a su lado. Él vivía lejos y, por suerte, no lo he vuelto a ver más. Nunca se lo conté a nadie. ¿Abusó sexualmente de mí? ¿Qué es exactamente el abuso sexual?

Preocupada

Querida Preocupada:

Permíteme que te diga que me alegro mucho de que no tengas que tratar más con tu tío. Siento decirte que lo que experimentaste fue un abuso. Incluso un tocamiento inapropiado, no deseado, es abuso. Generalmente, cualquier encuentro sexual no deseado constituye un abuso. La razón por la que es importante reconocer que era un abuso es que, de lo contrario, es algo que puede carcomerte o hacerte sufrir conflictos continuos sobre ti y sobre tu sexualidad. Es importante que sepas que era abuso para que tengas claro que no fue culpa tuya.

Hay dos tipos de abusos: sin tocamientos y con tocamientos. Aquí tienes una lista de las formas más comunes de ambos:

Abuso sexual con tocamientos

- Ser tocada en alguna de tus partes íntimas.
- Ser acariciada.
- Ser penetrada genitalmente por sodomía o en el acto sexual.
- Que te pidan que te sientes en el regazo de un adulto y que éste restriegue sus genitales contra tu cuerpo.
- Que un adulto se restriegue contra ti, o te toque de una manera que te haga sentir incómoda, y que se niegue a parar cuando se lo pidas.
- Tener que contemplar a un adulto mientras se masturba.

Abuso sexual sin tocamientos

- Que te pidan que veas material pornográfico.
- Que te hagan fotos en posturas sexuales.
- Que te hablen en un tono sexual (por ejemplo: «Pareces una putita», «Seguro que estás enrollándote por ahí», «Mira qué tetas tienes, están realmente firmes»).
- Que entren una y otra vez cuando estás en el baño o en tu habitación.
- Que un adulto deje la puerta del baño abierta continuamente cuando está dentro.
- Que un adulto te pida si puede tocar tus senos o tus genitales.
- Que te obliguen a mantener una conversación sobre sexo.

Querida doctora Patti:

Mi tío abusó de mí y de varias de mis primas durante años, hasta que un día mi prima (su hija) ya no pudo más y se lo dijo a su madre. Hubo un juicio y fue a la cárcel durante un corto período de tiempo, porque yo testifiqué; después, otras cinco primas también lo hicieron. Él abusó de todas nosotras incluso antes de que fuéramos adolescentes. Cuando lo arrestaron, dijo: «Es que no lo podía evitar.» ¿Qué es un pedófilo y qué es lo que hace que alguien se convierta en un pedófilo o en un abusador de niños?

Confundida y herida

Querida Confundida:

Antes de nada, decirte que no existe un consenso sobre qué es lo que hace que alguien se convierta en un abusador de niños. Existen distintas opiniones. Lo que sabemos es que son hombres que buscan niños. Algunos de ellos son homosexuales y buscan sólo a niños. En nuestro libro estamos tratando específicamente de hombres que abusan sexualmente de niñas. Algunos de estos hombres que abusan de niños también sufrieron algún tipo de abuso sexual cuando fueron jóvenes. Las personas que trabajan con pedófilos nos dicen que estos hombres pueden haber sentido que no se podían expresar por sí mismos, que sentían que no tenían poder, excepto su poder sobre alguien como los niños. El abuso sexual tiene que ver con la gratificación sexual, pero también tiene mucho que ver con el poder y la manipulación.

La pedofilia se describe como la enfermedad de tener un profundo deseo sexual hacia los niños, pero muchos, muchos pedófilos también tienen relaciones sexuales con adultos. El padre o el tío que abusa de su hija o sobrina puede que sigan teniendo relaciones sexuales con su mujer, por ejemplo.

Patricia Wiklund, en su libro *Sleeping with a Stranger*, describe a los abusadores sexuales como hombres que se sienten reprimidos e incompetentes. No tienen capacidad de discernimiento moral ni sexual. No tienen conciencia. A menudo descubro que los abusadores quieren que sintamos pena por ellos. Ciertamente, ése parece haber sido el caso de tu tío cuando se quejó de que no lo podía evitar. Lo que tienes que recordar es que nunca es culpa de la superviviente.

Querida doctora Patti:

Llegué aquí, desde Trinidad, cuando tenía cinco años. Muchos de mis familiares viven todavía en Trinidad y a menudo vienen a visitarnos en verano. Cuando tenía nueve años, en verano, uno de mis primos empezó a abusar de mí. Él tenía dieciséis años cuando empezó, y cada verano me hacía más cosas. Él era siempre muy bueno conmigo y a mí, en cierto modo, me gustaba esa atención, pero después me hacía que le tocara los genitales y que le masturbara. Yo estaba muy confundida. En cierto modo me excitaba, pero también me daba miedo y me hacía sentir extraña.

Él nunca me penetró, pero sí me forzaba a realizar sexo oral y a recibirlo. El sexo oral me daba arcadas y algunas veces, incluso, vomité después. Él era un miembro de la familia muy querido y yo nunca se lo conté a nadie. Esta situación paró el verano en que cumplí catorce años; mi primo estaba entonces en la universidad y había dejado de venir a Estados Unidos. Ahora tengo diecinueve años y estoy pasando por un mal momento sexual. Siento rechazo hacia el sexo y me atemoriza. ¿Es normal? ¿Abusaron de mí sexualmente? ¿Fue un incesto? ¿Tengo yo algún problema por el hecho de que alguna vez me hacía sentir bien?

Confundida y atemorizada

Querida Confundida y atemorizada:

Sí; sin ninguna duda, abusaron de ti; y sí, fue un incesto. Cualquier contacto sexual entre miembros de la familia (o cualquier figura adulta a la que consideres como un miembro de la familia) es un incesto. Tu primo sabía muy bien cómo abusar de una niña de nueve años. Las chicas que han sido víctimas de abusos sexuales a menudo se sienten realmente confundidas cuando sus cuerpos responden positivamente; pero nuestros cuerpos son estimulados por el tacto, y el hecho de que te gustara ese primo, quizá, sólo se sume a eso.

¡Tú no tienes ningún problema en absoluto! Como descubrirás con la lectura de este libro, a veces nuestros cuerpos responden al toque y a la estimulación genital. Eso no significa que tú quisieras tener sexo cuando tenías nueve años.

No conozco todos los detalles de tu familia, pero estoy dando por hecho de que no te sentías segura diciéndoselo a tus progenitores. Yo lo entiendo. A menudo, las niñas tienen miedo de que si se lo dicen a uno de sus padres la culparán a ella. Muchas chicas, incluso, me dicen que tienen miedo del sexo después de cualquier tipo de abuso sexual. No saben en quién ni en qué confiar. Recuerda: no hay nada de malo que descubras el amor a tu edad. La mayoría de las chicas siguen teniendo, después del abuso, relaciones sexuales buenas y saludables, pero puede que lleve algún tiempo.

No tienes por qué tener sexo con alguien con quien estés saliendo. Tú llevas las riendas y tú puedes establecer el paso. Si empiezas a salir con alguien, puedes decirle al chico que quieres ir muy lentamente.

Si tienes una amiga de confianza o un adulto con el que puedas hablar de lo que ocurrió con tu primo, te animo a que lo hagas. Puede que también quieras dirigirte a una asociación de mujeres maltratadas o que desees probar con apoyo psicológico. Cuanto más hables de ello, mejor te sentirás. Lee el capítulo 7 para saber más sobre el abuso a manos de hermanos, tíos, primos y padrastros.

Querida doctora Patti:

Tengo diecisiete años y voy al colegio en una zona residencial a las afueras de Chicago. Llevo saliendo con mi novio desde hace cinco meses. Soy virgen y, por ahora, quiero seguir siéndolo, pero hace poco empezamos a tener sexo oral. No es que me guste mucho el sexo oral, pero accedí a hacerlo un par de veces. La semana pasada fuimos a su casa y estuvimos bebiendo. Yo creo que él estaba un poco borracho y mientras realizaba el sexo oral, me atraganté. Yo lo dejé, pero él estaba muy enfadado y me pidió que «terminara lo que había empezado». Le dije que no, pero él me empujó la cabeza hacia abajo, con fuerza. Sentí que no podía respirar. Me obligó a hacerle eyacular. Estaba sorprendida. Nunca supe que él era así. Al mismo tiempo, me sentí vulnerable; fue horrible. Sentí como si fuera un juguete y que él podía hacer lo que quisiera conmigo.

Yo pensaba que me amaba. Me imagino que estaba equivocada. Odio amar a alguien que no me corresponde. No podía quitármelo de la cabeza, y lo atribuí a que estaba borracho. A pesar de que él hizo eso y no me pidió disculpas, salí de nuevo con él. La siguiente vez que estuvimos solos hizo lo mismo, pero esta vez traté de luchar y de retirar mi boca de su pene. Él empujó mi cabeza con tanta fuerza que no me podía mover ni respirar. No me dejaba mover la cabeza ni los hombros, hasta tal punto que empecé a tener arcadas y vomité. Sentí una mezcla de disgusto y de vergüenza. Él me apartó rápidamente de su lado, enfadado. Después de ese último incidente, rompimos; pero yo me siento fatal por lo ocurrido. ¿Abusaron de mí sexualmente? ¿Es esto una violación, a pesar de que no me forzó a realizar el acto sexual con él?

Asqueada y desilusionada

Querida Asqueada y desilusionada:

Antes de nada, decir que siento mucho lo que te ocurrió con tu novio. Hay muchas chicas que cuentan que sienten náuseas al realizar sexo oral a los chicos. Hoy en día existe mucha presión para que las jóvenes realicen esta forma de sexo. Ninguna chica tiene que acceder a ello si no quiere. Debo añadir, además, que si no usas condón durante el sexo oral puedes contraer una enfermedad de transmisión sexual.

Probablemente, deberías consultar a tu médico para comprobar que estás bien.

A pesar de que él no te penetrara, yo, y muchos otros psicólogos, definiríamos el sexo oral forzado como violación; en tu caso, violación en una cita. Por supuesto, no todos los chicos con los que salgas harán esto.

Violación en una cita, por cierto, hace referencia a cualquier ocasión en que eres forzada a tener sexo con alguien con el que estás saliendo o con el que has terminado, estando en una situación determinada porque tú has querido. Violación por un conocido es cuando eres violada por alguien al que conoces sólo un poco, pero con el que estabas voluntariamente. Según un extenso estudio de la Coalición de Pennsylvania contra la Violación en 2002, el 90 por 100 de las violaciones en una cita o por un conocido estaban relacionadas con el alcohol. Para más información, lee el capítulo 10.

Querida doctora Patti:

Estoy en la universidad y uno de mis profesores ha hecho algunos comentarios, a mí y a alguna de mis amigas, que nos han hecho sentir un poco incómodas. Dice que somos guapas. Parece que nos está mirando fijamente todo el tiempo. Me dijo que no me preocupara por la nota, porque soy muy atractiva. ¿Está abusando sexualmente o nos está acosando sexualmente? ¿Cuál es la diferencia?

Tristeza universitaria

Querida Tristeza universitaria:

Aunque lo que estás experimentando es acoso sexual, también se podría llamar abuso sexual sin tocamientos. Acoso sexual es el término legal generalmente aceptado, pero es realmente una forma de abuso sexual sin tocamientos. Por ejemplo, si vas`andando por el pasillo del colegio o por la calle y un hombre o un chico te grita algo como: «¡Eh, guapa, estás muy sexy!», «¡Bonito culo!», «¡Vamos a echar un polvo!» o «¿Me das un poquito?», puede que no sea asalto físico; pero si estás sola, sin duda puede darte miedo y provocarte alguno de los mismos malos sentimientos que tendrías en una relación abusiva continua. Te sugeriría que tú y tus amigas hicierais una lista de estos comentarios, y después fuerais al decano y le pusierais una denuncia. Sus comentarios pueden convertirse en un abuso y, en cualquier caso, no tiene ningún derecho a haceros sentir incómodas.

Existe una frontera muy clara entre acoso sexual y abuso sexual. Puedes encontrarte con muchas definiciones diferentes de estos dos términos. Habitualmente, el abuso implica algún tipo de violación física, pero es algo mucho más complicado que eso. Si tengo una paciente que me cuenta que durante su adolescencia su padre nunca la tocó, pero la miraba todo el rato de una forma sexual, caminaba desnudo por la casa, dejaba material pornográfico por ahí esparcido y la llamaba puta cada vez que salía con su novio, yo tendría que decir que ella sufrió abusos sexuales. Por tanto, el abuso abarca esas situaciones en las que los comentarios sexuales son tan constantes que crean un clima de abuso.

El abuso sexual hace referencia a ser violada sexualmente. Si el que lo perpetra no te toca, pero te sientes totalmente violada por sus palabras y por su falta de límites, puedes tener los mismos sentimientos que la chica a la que violaron tocándola; por eso, al final, no siempre hay tanta diferencia. Con mucha frecuencia, la violación sexual verbal acompaña también a la violación física. Para más información, lee el capítulo 8.

Querida doctora Patti:

¿Se está dando actualmente más el abuso sexual que en otras épocas, o simplemente estamos divulgando más sobre él?

Generación X

Querida Generación X:

Sólo en las últimas décadas ha sido la gente capaz de recopilar una estadística fiable sobre el abuso sexual, porque anteriormente era un tema tabú que muy pocas personas lo denunciaban o hablaban sobre ello. Sin embargo, a lo largo de los últimos diez años, más o menos, los investigadores han descubierto sistemáticamente que una de cada cuatro jóvenes experimentará algún tipo de abuso sexual —desde un tocamiento sexual invasivo a una violación— antes de cumplir los dieciséis años. La psiquiatra Alice Miller escribió extensamente sobre el abuso de todos los niños, particularmente de las niñas, remontándose al siglo XIX, y trabajos recientes han sugerido que la «teoría de la seducción», de Freud, fue una tapadera para el abuso sexual generalizado de chicas jóvenes (véase «Introducción»). Por desgracia, no tenemos ninguna razón para pensar que el abuso sexual no haya estado ocurriendo durante siglos.

Querida doctora Patti:

Me siento atrapada en un círculo vicioso. Obviamente, si no fuera por mi padre yo no estaría aquí. Pero el hecho de estar genéticamente conectada a un monstruo como él —me violó durante casi toda mi infancia— me da mucho miedo. Tengo miedo de que yo termine también haciendo daño a niños. Tengo un instinto muy protector con los niños, pero la verdad es que me da miedo hacer de canguro, porque pienso que haré algo extraño. ¿Es genética la pedofilia? No puedo imaginarme siquiera haciendo daño a alguien, y menos a un niño, pero ¿estoy destinada en cierta manera a ser como él?

Atrapada por mis genes

Querida Atrapada:

¡No, no y no! No tienes ninguna predisposición genética a ser una abusadora de niños. Te puedo asegurar que apenas existen casos denunciados de mujeres supervivientes de abusos sexuales que hayan abusado nunca de nadie. No tienes ningún gen que te vaya a convertir en pedófila. Te sugiero que hagas algún trabajo de canguro para probarte a ti misma que no tendrás ningún problema con niños. Confío en ti. Por favor, confía en ti misma. Si esto te hace sentir nerviosa, puedes pensar en cómo eres con los niños. En todo caso, por lo que he experimentado, es que las supervivientes de incesto son especialmente protectoras con los niños pequeños. Para más información, lee el capítulo 6.

Querida doctora Patti:

He visto esa película en la que una mujer, de repente, recuerda que su padre abusó de ella cuando era pequeña, pero cuando llega el momento del juicio le dicen que se lo ha inventado todo. Lo llamaron «síndrome de falsa memoria». ¿Se inventan las chicas el abuso sexual? ¿Qué es exactamente el síndrome de falsa memoria y cuándo surgió todo esto?

Confundida

Querida Confundida:

El síndrome de falsa memoria, como tú sugieres, hace referencia a historias que supuestamente pacientes sugestionables se «inventan» estando bajo hipnosis. Este síndrome fue acuñado, en 1992, por médicos de la Universidad de Pennsylvania y de la Johns Hopkins University en respuesta a acusaciones y demandas que tenían que ver con alegaciones de abusos sexuales realizadas diez, veinte o cincuenta años después de que los hechos hubieran ocurrido. Ellos afirmaron que los recuerdos pueden distorsionarse fácilmente con el tiempo y que, sencillamente, no había evidencias claras para apoyar las historias de miles de mujeres que estaban apareciendo con recuerdos de abusos sexuales pasados. En cualquier caso de abuso sexual es muy difícil tener una evidencia, a menos que una adolescente o una mujer realmente tengan una muestra de semen en el interior de su vagina. Permíteme que te diga lo siguiente: normalmente, los niños no mienten, y nunca me he encontrado con una adolescente o una mujer que se hayan inventado una experiencia de abuso sexual. En ocasiones, si el abuso ocurrió antes de que un niño supiera hablar, el recuerdo se almacenará en forma de sentimientos y puede ser más difícil reconstruir lo que ocurrió, pero esto no quiere decir que sea mentira.

Es interesante destacar que la Fundación para el Síndrome de Falsa Memoria fue creada por dos progenitores, Pamela y Peter Freyd, que fueron acusados de abuso sexual por su propia hija.

Por supuesto que toda regla tiene sus excepciones, y sin duda ha habido casos en los que una adolescente o una mujer fue inducida por un terapeuta incompetente a creer que sufrió abusos sexuales. Pero la evidencia muestra que esto es algo muy, muy raro. La inmensa mayoría de las chicas conocen muy bien la diferencia entre la realidad y la fantasía. Para más información, lee el capítulo 5.

Querida doctora Patti:

Cuando fui a ver a una terapeuta en relación con el abuso que había sufrido, ella quiso realizar hipnosis. Yo estaba realmente atemorizada, pero me dijo que cerrara los ojos y me pidió que hiciera todo lo que me decía. Yo no pude relajarme porque mi padre siempre me decía que cerrara los ojos antes de abusar de mí. Después, ella quería realizar movimientos oculares de desensibilización y reprocesamiento (MODR), otra técnica terapéutica, y eso también me dio miedo. Desde entonces nunca he vuelto a un terapeuta. ¿Es absolutamente necesaria la hipnosis en la terapia?

Ojos abiertos de par en par

Querida Ojos abiertos de par en par:

Hay personas que afirman que los recuerdos reprimidos durante mucho tiempo se recuperan mejor bajo hipnosis, y los profesionales realizan un entrenamiento muy específico para convertirse en hipnoterapeutas. Sin embargo, no es una «cura» comprobada para los recuerdos reprimidos y, en manos de la persona equivocada, ciertamente puede ser engañosa y dañina. Para que la hipnosis funcione, la persona que va a ser hipnotizada debe confiar en el hipnoterapeuta lo suficiente para dejar todo el control en sus manos, lo que la convierte en una técnica complicada y controvertida para supervivientes de abusos sexuales.

Los defensores de la hipnosis afirman que puede desvelar y clarificar recuerdos que, de otra manera, serían muy vagos. Los detractores afirman que los pensamientos y los recuerdos pueden ser «implantados» por sugestión. Muchas supervivientes de abusos sexuales me han dicho lo aterrador que es sufrir una hipnosis y confiar en otra persona. En cualquier caso, la hipnosis no se suele recomendar en adolescentes porque, habitualmente, sus recuerdos son muy claros.

El MODR es otra técnica terapéutica que se basa en la idea de que los recuerdos ocultos se pueden desvelar. Se desarrolló a finales de la década de los ochenta, basada en la teoría de que como en el cerebro se almacenan recuerdos molestos, pueden ser «sustituidos» por nuevos recuerdos, que se desvelan al pensar en el hecho molesto mientras te concentras en algo agradable. En otras palabras, los recuerdos pueden ser reconfigurados. Algunas personas afirman que el MODR da muy buenos resultados; además, tiene el beneficio añadido de que se realiza con los ojos abiertos.

Tanto la hipnosis como el MODR son mejores si se utilizan junto con la psicoterapia. En mi experiencia, la psicoterapia a largo plazo es la más curativa, porque puedes tomarte un tiempo para tener confianza en el terapeuta, lo cual es algo muy importante cuando estás tratando de curar a alguien de algo tan traumático como un abuso sexual. Para más información, lee el capítulo 11.

Querida doctora Patti:

Hace unos días denuncié a mi padre a la policía por abusar sexualmente de mí. Toda mi familia está ahora destrozada. Hace dos días que no como y no puedo levantarme de la cama. Me siento sola y desgraciada; además, me siento culpable. Mi madre dice que tengo una depresión grave y me está amenazando con llevarme a un hospital psiquiátrico.

Abatida

Querida Abatida:

Lo que hiciste requiere mucha valentía, y los sentimientos que estás teniendo no sólo son normales, sino que son muy, muy saludables. Finalmente, te estás autorizando a ti misma sentir aquello que no podías permitirte sentir en el momento del abuso para poder soportarlo. Estás permitiendo que tu cuerpo se derrumbe bajo el peso de lo que ocurrió. Por favor, dile a tu madre que no tenga miedo de esos sentimientos y anímala a que reciba alguna orientación para que entienda lo que puede esperar en estos momentos. De hecho, en casos de incesto, la mayor parte de los tribunales recomendarán terapia tanto para la hija como para la madre. El padre también recibirá tratamiento, además de la pena.

La depresión dura unas cinco semanas e implica demasiado o muy poco sueño y/o comida, pérdida de interés en tus actividades habituales y sentimientos de impotencia. Si sigues durmiendo todo el tiempo y sintiéndote desgraciada, puede que esto te conduzca a una depresión y, sin duda, yo te animo a que recibas algún tipo de ayuda profesional (con un asesor, un terapeuta o un orientador) para clarificar y manejar tus sentimientos. Pero de momento, tu madre y tú debéis entender que es saludable y normal sentirse atemorizada y deprimida después de haber denunciado un caso de abuso sexual. Puedes intentar encontrar un grupo de apoyo para ti y para tu madre o puedes enseñarle este libro para que lo lea. Intenta convencerla de que tú estás bien y que lo que necesitas ahora mismo es a ella y no un hospital psiquiátrico. En lo que respecta a la culpa, si tu padre abusó de ti no tienes nada de lo que sentirte culpable. Él es el culpable. Para más información, lee los capítulos 3, 6 y 7.

Querida doctora Patti:

He denunciado a mi padre por incesto. Ahora tengo dieciséis años y él empezó a abusar de mí cuando tenía doce. Le condenaron a ocho meses de prisión y, después, le sentenciaron a que hiciera terapia durante dos años. Mi madre quiere que la familia vuelva a estar de nuevo unida y mi padre dice que con el tratamiento no me volverá a tocar nunca más. Yo tengo miedo y quiero irme a vivir con mi tía, que me apoya mucho. Mi madre dice que puedo irme. ¿Debería irme? ¿Cree que mi padre está «curado»? ¿Se «curan» alguna vez los abusadores de niños?

Queriendo salir

Querida Queriendo salir:

En primer lugar, estoy de acuerdo contigo. Pienso que deberías irte a vivir con tu tía.

Realmente ésta es una pregunta doble. En primer lugar, responderé a la referente a irte a vivir fuera de casa. Existen diferentes escuelas de pensamiento en torno a esto. Algunos terapeutas piensan que normalmente es mejor mantener a la familia unida y que, después del tratamiento, la mayoría de los abusadores pueden arreglar las cosas con su familia. Yo pertenezco a la escuela contraria. Pienso que si un padre o un padrastro abusa de su hija, la principal prioridad de la madre debe ser proteger y apoyar a su hija, y no debe permitir que éste vuelva a casa. Éste es un abuso imperdonable. La hija no es la culpable y no se le debería obligar a vivir con el hombre que ha abusado de ella. Pienso que puede ser necesaria una terapia tanto para la madre como para la hija, pero creo que se debe animar a ambas a que se mantengan lejos del abusador. El hecho de que tu madre te fuerce a que apoyes el reingreso de tu padre en la familia puede hacerte sentir violada de nuevo. Si tu tía dice que puedes ir a vivir con ella, creo que deberías hacerlo y no forzarte a un camino emocional dañino.

Mi colega Kay Jackson, que ha trabajado con pedófilos durante veinte años, ha visto familias que se han vuelto a reunir con cierto éxito. Pero el doctor Jackson también dice que la pedofilia per se no es «curable». Dice que está siempre presente, pero que algunos hombres pueden aprender a controlarla. Según su experiencia, sólo a base de un castigo severo (por ejemplo, internamiento en prisión) y una terapia intensiva algunos hombres pueden rehabilitarse. Pero tú no deberías servir de conejillo de Indias. Tu única responsabilidad consiste en cuidar de ti misma. Para más información, lee los capítulos 3 y 6.

Querida doctora Patti:

He visto películas en las que las mujeres tienen múltiples personalidades. Normalmente, en las películas, son supervivientes de incestos. ¿Es algo que sólo ocurre en las películas? Yo soy una superviviente de incesto y a menudo me parece que mi personalidad cambia mucho. Tengo un carácter muy voluble. Mis amigas me dicen que puede que tenga un desorden de personalidad múltiple. ¿Lo tienen todas las supervivientes de incesto y de abuso sexual?

¿Más de un yo?

Querida ¿Más de un yo?:

No; no todas las supervivientes de incesto desarrollan un desorden de personalidad múltiple (DPM). El DPM es un diagnóstico clínico definido como una «división» de la personalidad en dos (o más) personalidades separadas para proteger a la persona de determinados recuerdos. Una persona con DPM crea en realidad una segunda personalidad (o más) con su propia identidad completa (o casi completa). Las supervivientes de incesto que están sufriendo mucho, a menudo desarrollan otra personalidad como estrategia de supervivencia para soportar el abuso. También, como comprobarás en los últimos capítulos, las chicas que a menudo están sufriendo abusos sexuales crean elaborados mundos fantásticos, pero no hay que confundir esto con el DPM. De hecho, yo pienso que estos mundos fantásticos son muy sanos para las chicas. Las adolescentes tienen una habilidad increíble para protegerse a sí mismas y sobrevivir lo indecible. Para más información, lee el capítulo 5.

Querida doctora Patti:

Soy una superviviente de incesto. El problema es que tengo muy poca consciencia de mi cuerpo. Cuando me caigo, no siento dolor. Cuando mis amigas me abrazan, casi no siento sus abrazos. Y peor aún, cuando mi novio me besa, no siento ninguna excitación. Quiero sentirme conectada con mi cuerpo, pero cuando abusaron de mí me quedé insensibilizada; sentí como si estuviera flotando fuera de mi cuerpo. ¿Volveré a tener sentimientos de nuevo?

Incómodamente insensibilizada

Querida Insensibilizada:

La sensación de flotar que describes la cuentan a menudo las supervivientes de incesto. El término clínico para ello es disociación, que se define como apartarse uno mismo de una situación como medio para evitar el contacto físico. Flotaste fuera de tu cuerpo y te insensibilizaste para protegerte a ti misma. Flotaste para sobrevivir al abuso. Te llevará un tiempo, pero serás capaz de sentir de nuevo. A medida que pase el tiempo y estés lejos del que cometió el abuso, empezarás a tener confianza de nuevo. Puede empezar de forma no sexual, cuando te abracen tus amigas. Puede que quieras hacer un esfuerzo y dar a una amiga cercana un abrazo para intentar ser consciente de lo que sientes. El hecho de que estés dejando que tu novio se acerque es una buena señal. Algunas chicas dicen que cuando les cuentan a sus novios sobre su abuso, les ayuda a sentir de nuevo físicamente. Si ves que te vas a sentir cómoda diciéndoselo, puedes intentar sacar a colación el tema y ver cómo funciona. Para más información, lee los capítulos 5 y 6.

Querida doctora Patti:

Después del 11 de Septiembre he escuchado muchas teorías sobre el trastorno de stress postraumático. ¿Ocurre este desorden también con el abuso sexual?

Estresada

Querida Estresada:

Sí; el trastorno de stress postraumático, o TSPT, es un diagnóstico comúnmente aceptado para aquellos individuos que han experimentado abusos sexuales, el trauma de la guerra o sufrido una tragedia. A menudo ocurre que las personas son capaces de sobrevivir sólo al insensibilizarse a los sentimientos sobre el trauma. Por ejemplo, durante la guerra, los soldados no pueden permitirse tener sentimientos de terror, porque si no, probablemente, se derrumbarían. De manera muy parecida, la superviviente de un abuso sexual (particularmente la que ha sufrido un abuso continuado) no se puede permitir pararse, y sentir el horror y el trauma, o no soportaría el abuso.

Después del trastorno, la superviviente puede estar obsesionada con recuerdos molestos y recurrentes del trauma, sueños recurrentes del trauma, miedo a que el trauma vuelva a surgir por una estimulación del ambiente (conocida también como «disparador»), desordenes del sueño o hipersomnia (dormir demasiado), depresión, ataques de pánico o problemas de concentración. Todos éstos son síntomas del TSPT. Si piensas que puedes estar padeciendo TSPT, te animo a que consultes a un profesional.

> Querida doctora Patti:
>
> Creo que mi prima puede estar sufriendo abusos sexuales a manos de su padre. Ella lo niega, pero de repente ha estado muy deprimida y no quiere salir. Dice que su padre quiere que esté en casa casi todo el tiempo, lo cual me parece un poco raro. Por otra parte, su padre ha estado actuando de forma muy extraña y posesiva con ella. De todas formas, él siempre ha tenido un rollo muy singular con las chicas. ¿Cómo puedo saber si está abusando de ella?
>
> **Prima preocupada**

Querida Prima preocupada:

A pesar de que ninguno de los siguientes rasgos es, por sí mismo, una «evidencia» de abuso, hay algunos perfiles comunes en las supervivientes que puedes buscar:

- Baja autoestima.
- Promiscuidad.
- Temor al sexo.
- Temor a la intimidad.
- Grandes bloqueos de pérdida de memoria.
- Pesadillas.
- Ataques de ansiedad.

- Desconfianza de los hombres.
- Mala relación con la madre.
- Perfeccionismo.
- Repulsión por ciertos «disparadores», como por ejemplo un gesto, una caricia, un olor, una voz o cualquier otro que le pueda traer a la memoria el abuso sexual.
- Mal aspecto físico.

Si realmente piensas que tu prima está sufriendo abusos sexuales, busca a alguien en el que puedas confiar para hablar de ello; quizá tu madre, una hermana mayor o un terapeuta. También puedes recibir orientación en una asociación de mujeres maltratadas o en los servicios especiales de la policía. Si no puedes encontrar ningún centro de orientación cercano en tu ciudad, puedes preguntarle a tu prima si están abusando de ella y hacerle saber que estás dispuesta a acompañarla a recibir orientación psicológica si ella quiere. A lo largo del libro hablamos de los perfiles de las supervivientes.

Querida doctora Patti:

Tengo dieciocho años y soy alumna de último curso de secundaria. Nací aquí, pero mis padres lo hicieron en Rusia. A lo largo de los años ellos han traído aquí a muchos miembros de la familia. Mi tío, que vino hace unos cinco años, empezó a abusar de mí cuando tenía catorce. Yo, básicamente, lo aguanté, pero cuando empezó a molestar a mi hermana pequeña decidí que tenía que intervenir. Así que se lo dije a mi madre. Después, fui al colegio y se lo dije al psicólogo. La policía vino y arrestó a mi tío.

Mi madre me echó de casa y no deja que vuelva hasta que vaya a la policía y les diga que mentí. Tengo mucho miedo. Estoy a punto de terminar secundaria. ¿Qué debo hacer? ¿Hice mal en decirlo?

Nacida para mentir

Querida Nacida para mentir:

En primer lugar, decirlo siempre da miedo; a veces puede que sientas que contarlo no es lo correcto, aunque lo sea, porque da mucho miedo. Para las jóvenes de culturas en las que se considera a éstas como menos importantes que los hombres, o culturas en las que la madre tiene menos poder que el padre, decidir no contárselo a la familia puede ser lo mejor que una chica pueda hacer para protegerse a sí misma.

Por favor, acude de nuevo al psicólogo de tu colegio para pedirle ayuda. Encuentra a alguna amiga de confianza con la que quedarte a vivir. El hecho de que tú revelaras el abuso puede que haya salvado a tu hermana (en muchas situaciones de incesto, la chica no lo dice hasta que la amenaza también se cierne sobre una hermana menor o una prima). Para más información, lee los capítulos 7, 12 y 13.

Querida doctora Patti:

Mi tío abusó de mí hace cinco años. Cuando se lo comenté al psicólogo del colegio hace poco, me dijo que tenía que denunciarlo porque no quería que el delito prescribiera. También dijo que estaba preocupado porque mi tío tiene dos hijas menores de quince años.

Al final, terminaron arrestando a mi tío, y mis padres me agradecieron mucho que lo hubiera contado, pero yo no tengo muy claro cómo son las leyes sobre las denuncias y todo eso. ¿Me lo podría explicar?

Confundida con la ley

Querida Confundida con la ley:

Estar metida en denuncias y juicios puede ser un poco lioso, y es cierto que las leyes son distintas de un país a otro. Pero siempre hay alguien en el departamento de policía que se ocupa de la sección de las víctimas. El término «prescripción de delito» hace referencia a un tiempo límite durante el cual una persona puede ser perseguida por los crímenes de los que ha sido acusada.

Querida doctora Patti:

Estoy en la universidad y hace unas semanas mi amiga apareció en mi casa, llorando. Su novio, que había venido a visitarla de fuera, la acababa de violar. No sabía cómo ayudarla. Ella me dijo que sólo quería darse una buena ducha para eliminar todo lo que estaba sintiendo. Se duchó; después, yo le hice un chocolate caliente, y se fue a su casa. Un par de semanas después me pidió que la acompañara a la policía para denunciar la violación. Este departamento nos dijo que no teníamos ninguna evidencia y que sería muy difícil procesarlo. Mi amiga está abatida. ¿Cuándo se debe denunciar una violación?

Intentando ser una buena amiga

Querida Intentando:

Tu amiga tiene mucha suerte de tenerte en la vida. Hiciste todo lo que podías por ella. Por desgracia, lo que la policía os dijo es verdad. Es casi imposible llevar a los tribunales un caso de violación sin que haya una evidencia física, y en cuanto tu amiga se duchó destruyó cualquier evidencia que pudiera haber.

Es muy importante ir primero a un hospital y hacer lo que se llama la «prueba de la violación». Este examen médico toma una muestra de tejido y de fluido de la vagina; comprueba a ver si hay heridas, enfermedades de transmisión sexual y embarazo, y administra RU-486 para prevenir el embarazo, siempre que sea posible. También irá la policía al hospital para que hagas la denuncia. Por favor, lee el capítulo 10 para saber más sobre lo que hay que hacer después de una violación en una cita.

Querida doctora Patti:

Soy homosexual, y el otro día estaba en una discoteca con unas amigas. Estuve bailando toda la noche con una chica que me gustaba. Después de salir de la discoteca, nos fuimos a su apartamento. Las dos habíamos estado bebiendo y empezamos a tontear. Yo sólo quería besarla, pero ella quería más; se puso violenta, me quitó la camiseta y los pantalones, y me metió a la fuerza los dedos en la vagina. Yo intenté apartarla, pero no pude. Al final, conseguí escapar. ¿Fui víctima de una violación en una cita?

¿Violada por una chica?

Querida ¿Violada por una chica?:

Siento mucho lo que te sucedió. Sí; fuiste violada en una cita. Puede que no sea considerada violación por la ley, pero produce el mismo daño emocional. Ya sea perpetrado por un chico/hombre o por una chica/mujer, ya sea «sólo» sexo oral o una penetración completa, siempre que se usa la fuerza es una violación.

Querida doctora Patti:

Una amiga mía y yo exploramos nuestros cuerpos cuando teníamos unos seis años. Jugábamos a los médicos y nos tocábamos todo una a la otra. No nos hicimos daño ni nada por el estilo; simplemente nos explorábamos. No es que me sienta muy rara por eso, pero estoy pensando si abusamos sexualmente la una de la otra. A mí, de verdad, me gustan los chicos y no creo que sea homosexual, pero ¿por qué hicimos eso en aquella ocasión?

Juegos de niños

Querida Juegos de niños:

Parece como si tu amiga y tú estuvierais dando rienda suelta a una curiosidad natural. Si os hubierais hecho daño la una a la otra, os hubierais forzado, lo hubierais hecho muchas veces o te excitara realmente tocar los genitales de tu amiga y que ella tocara los tuyos; o si una amiga de tu misma edad, prima o hermana tratara de introducir a la fuerza un juguete o un dedo dentro de tu vagina o de tu ano, eso se podría llamar, sin duda, abuso. Pero muchos niños se exploran una o dos veces, y es algo completamente saludable.

Intuitivamente, los niños normalmente conocen la diferencia cualitativa entre el juego divertido de la exploración, que incluye algunos tocamientos, y el ser violado.

> Querida doctora Patti:
>
> Puede parecer una pregunta estúpida, pero es algo que me obsesiona. Yo fui víctima de abusos sexuales a manos de mi padre desde los nueve hasta los trece años, cuando se murió. Ahora tengo dieciocho y, por primera vez, estoy enamorada. Cuando mi novio y yo hicimos el amor, le dije que era virgen. No estoy preparada para hablar de mi abuso sexual y, sinceramente, me siento como si fuera virgen, a pesar de que mi padre me penetrara. ¿Podría seguir considerándome virgen?
>
> Esperanza

Querida Esperanza:

Yo te considero virgen. He hablado con cientos de chicas que sienten exactamente lo mismo que tú. Fueron penetradas por sus abusadores, pero si hubieran podido elegir nunca habrían perdido su virginidad con ellos. Ésta es la primera vez en que tú eliges entregarte sexualmente a tu novio. Puede que otros no estén de acuerdo, pero, para mí, tú eres virgen.

> Querida doctora Patti:
>
> ¿Cómo permiten las familias que haya abusos sexuales? ¿No desean los padres proteger a sus hijos?
>
> Asombrada

Querida Asombrada:

He aquí una cuestión que merece un capítulo entero. Sigue leyendo...

CAPÍTULO 2

El cambio

De niña a mujer

«Ahora estoy arriba, y al minuto siguiente estoy abajo.
Ahora estoy aquí, y al minuto siguiente estoy allá.
Mis sentimientos parecen reales, y después ya no.
A veces todo tiene sentido, pero después deja de tenerlo.
A veces estoy alegre y al minuto siguiente, triste.
¿Dónde estaré? ¿Dónde puedo estar?
¿Me amarás si quiero tu amor?
¿Me amarás, aunque al principio te rechace?»

La joven que escribió este poema estaba expresando los altibajos naturales de la adolescencia. La mayoría de los abusos sexuales tienen lugar durante esta vulnerable etapa en la vida de una chica; entre los once y los quince años. Es el momento en que tienes tu primer período, tus primeras manifestaciones de deseos sexuales. Tu cuerpo está sufriendo cambios extraordinarios. Puede que sea cuando experimentes tu primer enamoramiento y quizá crezcas quince centímetros. Y tú eres vulnerable al abuso porque estás sufriendo esa transformación y todavía no sabes cómo controlar tu cuerpo, que se está desarrollando, o todas esas expectativas de qué aspecto deberías tener, o cómo deberías actuar o ser, por no mencionar tus propios sentimientos sexuales en flor. Todo abuso sexual tiene que ver con el hecho de ser empujada más allá de tus fronteras naturales, pero normalmente las chicas, cuando tienen doce, trece o quince años, ni siquiera saben cuáles son sus propias fronteras. Es todo muy confuso.

En este capítulo nos introduciremos en la psique de una adolescente. Observaremos los cambios culturales, físicos, emocionales, sexuales y psicológicos, y las presiones que sufren las adolescentes, de modo que cuando más adelante, en este libro, oigamos a las supervivientes de abusos sexuales —y cuando contemples tu propia vida—, tendrás una perspectiva completa de todo lo que ocurre en este momento de grandes cambios.

Hasta aproximadamente los nueve o diez años, muchas niñas siguen apoyándose mucho unas en otras. Siguen comunicándose abiertamente sus sentimientos y luchas unas a otras. Todavía confían en su instinto. Cuando juegan al fútbol, corren tras el balón con toda el alma; cuando golpean la pelota de tenis, no se preocupan de si se les levanta la falda. Saben quién les gusta y quién no, y no tienen miedo de ir en pos de aquello que quieren. (Es verdad, puede que sigan jugando con Barbies, pero al menos la Barbie sólo es una muñeca.)

Sin embargo, a medida que sus cuerpos empiezan a desarrollarse las cosas cambian. A medida que sus senos crecen, se les hace cada vez más difícil correr deprisa. Cuando tienen el período, nadar se convierte en una actividad más arriesgada. Se les hace más difícil elegir qué es lo que «quieren». A medida que las chicas intentan saber cómo encajar en el mundo los papeles de género, los cambios hormonales y las expectativas culturales, chocan entre sí. A consecuencia de la cultura dominada por hombres en la que viven, empiezan a desconfiar de sus instintos; empiezan a dudar de sí mismas, y a darle mucha importancia a lo que piensa su pandilla de amigos.

Las chicas se dirigen a sus amigas para buscar orientación y apoyo social. Al mismo tiempo, puede que las adolescentes empiecen a sentir una gran competitividad unas con otras, a medida que realicen maniobras para conseguir una posición social, y pueden convertirse en unas auténticas despiadadas cuando compitan en una cultura dominada por hombres. Ese tipo de maldad que no se da entre niñas.

Es duro ser una adolescente. Si a esto le añades otros factores de estrés —el divorcio de los padres, la muerte de un amigo o un pariente cercano, mudarse de casa y empezar a ir a un nuevo colegio, llenarse de acné— puedes terminar sintiéndote impotente y sola, y mucho más vulnerable a las presiones sociales.

Las adolescentes están muy preocupadas por encajar en el mundo, pero también se dan cuenta que ahora hay mucho más en juego que nunca. A consecuencia de la presión social para actuar de determinada manera y tener determinado aspecto (por ejemplo, recatada y sensual), muchas chicas tienen más dificultad en expresar lo que sienten. Dependiendo de su entorno cultural y de su grupo, puede que empiecen a corregirse a sí mismas de distintas maneras para intentar encajar en algún lado.

En su investigación, la psicóloga Lyn Mikel Brown descubrió recientemente que chicas como muchas de vosotras, jóvenes de clase media y de familias adineradas, tenían muchos más problemas en expresar su ira que chicas de familias menos acomodadas y menos privilegiadas. Estas adolescentes son educadas para ser buenas, sumisas y para tener éxito. A menudo, las chicas invisibles tienen que superar muchos años de condicionamientos para encontrar su poder y sus voces.

En esta época, las chicas también empiezan a necesitar una mayor independencia de sus padres. Empiezan a alejar a sus padres, a pesar de que todavía los necesitan; a veces desesperadamente. El tira y afloja forma parte del paso de niña a mujer, de la infancia a la edad adulta.

Las adolescentes empiezan a sufrir —a menudo intensa y conscientemente— los efectos del sexismo y de la dominación masculina, todo lo cual podía haber parecido irrelevante cuando eran niñas. Pueden sentir que sus opciones en el mundo se están reduciendo. Ahora la gente está más interesada en su aspecto o en cómo interactúan socialmente que en sus cualidades. Saben que cada vez se las define más por su atractivo sexual, aunque no se sientan sensuales en absoluto, y a menudo no saben cómo manejar toda la atracción sexual. Piensa en cómo se trata a todas las mujeres para que asuman la responsabilidad de todo lo que ocurre en un nivel interpersonal. Las chicas de las que se ha abusado sexualmente no son diferentes. A menudo sienten una culpa y una vergüenza tremendas; a menudo sienten que, en cierto modo, es culpa suya. Vamos a repetirlo: *nunca* es culpa tuya.

Y nuestra cultura empuja a las chicas cada vez más pronto a que sean «sensuales». Los vídeos musicales no hacen más que reforzar esto. A Britney Spears, en uno de sus vídeos, *Baby One More Time,* se le hacía aparecer con aspecto de colegiala que iba por ahí contoneándose con su minúsculo uniforme. La historia de *Lolita* nos da una evidencia perfecta de la disparidad entre lo que una chica puede estar sintiendo y cómo sus acciones pueden ser interpretadas por hombres adultos.

Nunca olvidaré la entrevista que escuché en la radio a Adrian Lyne, el director que en 1997 realizó una nueva versión de *Lolita,* en la que hablaba de la adolescente que eligió para el papel protagonista. Al parecer, cuando entró para hacer la prueba ella estaba masticando chicle y cuando llegó el momento de actuar, se sacó el chicle de la boca y se lo pegó en la pierna para poder leer el guión. Nosotras nos podemos imaginar que lo hizo porque era la manera más eficaz de quitarse el chicle, a la vez que lo guardaba para seguir masticándolo luego. Bueno, pues esto no es lo que este señor de sesenta y tantos años vio. Dijo que fue uno de los gestos más «sensuales» que había visto nunca y que, inmediatamente, supo que ella conseguiría el papel. Éste es el modo en que son vistas las adolescentes en nuestra cultura sexista; como un práctico paquete de «inocente» y «seductora», todo en uno.

No es de extrañar que las adolescentes puedan empezar a desconfiar de sus instintos y actuar de forma que vaya contra ellos. Puede que las chicas sepan lo que están sintiendo, pero también sienten una presión intensa, desde dentro y desde fuera, para ir en contra de sus sentimientos y adaptarse a las presiones y mensajes sociales. Normalmente, tienen una gran presión en el colegio y están ocupadas negociando una mayor independencia de sus padres; al mismo tiempo, están siendo bombardeadas con anuncios, artículos e imágenes que les dicen constantemente cómo ser más sensuales. Los anuncios, las series de televisión, las revistas, los vídeos musicales... Todo les está diciendo que es maravilloso convertirse en mujer, que es maravilloso ser sensual y atractiva, y que es maravilloso tener sexo.

Una de mis pacientes, que era superviviente de abusos sexuales, escribió lo siguiente cuando tenía veinte años:

> «Nadie vio el dolor y el sufrimiento que estaban encerrados dentro de mí cuando tenía trece años; nadie me llevó a un lado y me dijo que todo saldría bien. Ojalá pudiera volver y mirar a esa chica, porque pienso que le diría que dejara de entregarse, que guardara algo de su alma para sí misma, que dijera la verdad siempre y en cualquier situación. Que se apartara de los mitos, conspiraciones y de la "protección" de la familia. La abrazaría y le diría que viviera por sí misma, y que se alejara todo lo posible de la gente loca.»

Después de haber comentado todo esto, hay que decir que, por muy difícil que la adolescencia pueda ser, también puede ser un período fascinante. Hay muchas chicas que se enamoran por primera vez antes de cumplir los dieciocho años, y muchas tienen relaciones amorosas y maravillosas con chicos o chicas. Y aunque tú seas una superviviente de incesto, o provengas de una familia con muchos de problemas, una vez que dejes el abuso a un lado también podrás encontrar este consuelo y amor.

CAPÍTULO 3

Familias con problemas

Esa SUPERVIVIENTE DE INCESTO que quería volver y abrazar a esa chica de trece años a la que habían hecho tanto daño, sabía, cuando tenía veinte años, que su familia estaba loca por permitir el abuso y por no protegerla. Así es como ocurre el abuso sexual. Las inocentes niñas necesitan orientación y protección, pero no la reciben. Esencialmente, todo abuso sexual, con la excepción de la violación a manos de un desconocido, está relacionado con familias que han fracasado con sus hijos. Las chicas prefieren culparse a sí mismas, callarse el abuso, antes que decírselo a sus padres. Saben que éstos no las creerían, las culparían y quedarían destrozados si lo supieran. Esto es un fracaso a gran escala.

En los siguientes capítulos te encontrarás a muchas chicas cuyos padres les han fallado. Ágata, a quien conocerás en el capítulo 9, tenía unos padres que puede que la hayan querido pero que eran «anticuados», y no estaban emocionalmente preparados para ayudarla con la insana relación sexual que desarrolló en un campamento con un chico de dieciséis años. Coral fue víctima de un incesto a manos de su padre biológico durante seis años, porque ella sabía que su madre, que resultó a su vez ser también una víctima de incesto, no la protegería. Los padres de Hiedra estaban muy preocupados para darse cuenta de que algo andaba mal. Etcétera. Ninguna de estas adolescentes tuvo el tipo de apoyo familiar que hace que una chica se sienta protegida y cuidada, amada y querida.

No importa en qué tipo de familia vivas: monoparental, biparental, con tus abuelos, de acogida o adoptiva; cuando los adultos que esperas que te protejan no están allí para ayudarte, eres más vulnerable de sufrir abusos, tanto dentro como fuera de las cuatro paredes de tu casa. Por supuesto, es peligroso hacer demasiadas generalizaciones sobre las familias en las que ocurre el abuso. Lo fundamental es, sencillamente, esto: si abusaron sexualmente de ti y no pudiste acudir a tu familia para pedir ayuda, mereces darte cuenta de que tu familia te falló completamente. Tus progenitores no te proporcionaron una atmósfera segura de apoyo y protección, que es la primera responsabilidad de un padre. No fue culpa tuya. Abusaron de ti porque no había nadie allí para protegerte o para enseñarte las habilidades necesarias para estar segura.

Por supuesto que algunas familias sí dan a las chicas que han sido víctimas de abusos el apoyo necesario, pero esas adolescentes no son las invisibles, las que tienen unas heridas profundas. Si sufriste abusos sexuales a manos de un desconocido, aunque sólo fuera casualmente, y no te sentiste lo suficientemente segura como para ir corriendo a tus padres en busca de protección; si, en cierto modo, sientes que tus padres te echarán la culpa del abuso, no se pondrán de tu parte o no se enfrentarán al abusador, es muy importante que entiendas que el problema está en tu familia, no en ti. Lo verás claramente cuando leas las historias de otras chicas.

Familias incestuosas

«Entonces era tan pequeña... Sabía que me hacía sentir mal y sabía que me dolía, pero mi padre me dijo que era lo correcto, nuestro pequeño secreto. Me dijo que mamá se molestaría si lo sabía. Mi madre nunca me preguntó por qué mi padre siempre necesitaba bañarme, así que nunca se lo dije. Yo sólo me sentaba ahí, en la bañera, medio atontada, y escuchaba los pasos de mi madre cuando pasaba cerca de la puerta cerrada.»

Una superviviente de abuso, de diecisiete años

Creo que no hace falta decir que las familias incestuosas son enfermizas y que no ayudan, aunque sólo sea porque no protegen a sus hijas. Los hombres no salen impunes de un incesto si allí hay presente una mujer fuerte que hace algo para evitarlo. Es imposible. El incesto continúa dándose cuando las chicas saben que decirlo no sería seguro. Saben que sus madres no pueden o no las protegerán. Por supuesto, en ocasiones, son chicas que no tienen madre. Pero en la gran mayoría de los casos, la madre está presente y, sencillamente, no puede afrontar la realidad de abuso.

Muchas de nuestras madres fueron, ellas mismas, víctimas de abusos sexuales, ya sea como niñas o como adultas. Son mujeres que aprendieron a aguantar cualquier cosa que los hombres les hicieran. Tuvieron que hacerlo y transmitieron esa pasividad y/o miedo a sus hijas. A menudo ocurre que, como no fueron capaces de curarse de su propio trauma, trasladan su mermada autoestima, su adicción y/o su enfermedad mental a sus papeles de madres. Pero tú tienes la oportunidad de hacer las cosas de otra manera.

Una de mis pacientes cuenta una historia increíble. Cuando ella, finalmente, comentó a su madre y a su abuela que su bisabuelo había abusado sexualmente de ella cuando era pequeña, la abuela dijo: «También abusó de mí.» Y la madre dijo: «Y de mí también.» Pero cuando mi paciente intentó indagar un poco más, ambas mujeres se negaron a comentar más. He aquí tres generaciones de supervivientes de abusos sexuales, y seguían sin poder afrontar completamente la verdad. Tú puedes romper el ciclo.

Familias que no apoyan emocionalmente

No sólo son las familias incestuosas las que pueden defraudar a sus hijas. He trabajado con muchas chicas cuyas familias ignoraron sus llamadas de socorro después de una experiencia de abuso sexual, y algunas me han comentado que sus padres las culparon cuando contaron que sus novios se habían propasado y que las llamaron putas y zorras, y las acusaron de que «se lo estaban buscando». En el capítulo 7, «Demasiado cerca para sentirte cómoda», Hiedra cuenta que la echaron de casa a los dieciocho años porque suponía «demasiados problemas». A menudo, estas chicas también se encuentran entre la espada y la pared. Puede que quieran ir a la universidad, pero frecuentemente no tienen ningún apoyo económico. Algunas se encuentran atrapadas en el círculo vicioso de ser consideradas dependientes en las declaraciones de impuestos de sus padres —por tanto, incapaces de obtener ayuda económica—, a pesar de que sus progenitores ya no las estén apoyando económicamente.

Otra forma en la que los padres fallan a sus hijas consiste en no establecer límites claros; no sólo límites emocionales, sino también físicos. Yo considero algunas acciones que no son incesto per se, sino incestuosas. Por ejemplo, he oído muchas historias de chicas cuyos padres andaban por la casa desnudos, o que nunca cerraban la puerta cuando se estaban vistiendo, o que hacían comentarios insinuantes a sus hijas sobre sus tetas o sus culos. A menudo, cuando las chicas se quejaron del comportamiento de su padre, sus familias las acusaron de ser pudibundas o reprimidas, y estas adolescentes desarrollaron auténticas inseguridades sobre sus propios derechos a determinadas fronteras.

No hace falta que los padres violen a sus hijas o hagan nada secreto para que, en efecto, las violen y las silencien. Las hijas saben cuándo sus sentimientos no serán respetados y cuándo no es seguro establecer sus propias condiciones dentro de la familia. A las chicas a las que se deja de ese modo sin voz tienen mucho más riesgo de sufrir abusos sexuales. Cuando somos niños, dependemos de nuestros padres para todo. Sin ellos estaríamos desprotegidos. Sin ellos no tendríamos ropa, comida, cuidados. Venimos al mundo necesitando a nuestros padres para sobrevivir y, a medida que la vida continúa, son ellos a los que deberíamos ser capaces de dirigirnos para buscar consuelo y orientación. Pero a veces nuestras familias nos dan muy poca orientación o no nos dan ninguna. He trabajado con muchas chicas cuyos padres no podían hacer frente a las situaciones, de modo que los niños tuvieron que asumir el papel de adultos sin que nadie les protegiera, así como con chicas de familias en las que los niños no tienen voz en absoluto; familias en las que los padres están muy ocupados, demasiado enredados en sus vidas para darse cuenta de nada; y familias en las que se avergüenza a las chicas por su sexualidad. Y podría continuar esta lista.

El hecho de que haya tantas familias que sean capaces de traicionar a sus hijas no es más que un síntoma de la forma en que la cultura perpetúa la dominación masculina. A pesar de las reivindicaciones que las mujeres han conseguido, las chicas todavía siguen luchando para hacer que se escuche su voz, para tener poder. Y las adolescentes cuyos padres no se pueden ocupar de ellas de modo adecuado son lanzadas al mar sin salvavidas. Hacen que se las arreglen por sí mismas y que naveguen en medio de su sexualidad y emociones, y están más o menos dispuestas a ser maltratadas porque no se les ha enseñado lo valiosas que son como seres humanos.

Durante la adolescencia, las chicas están empezando a buscar el modo de expresarse completamente, y si esa expresión se bloquea éstas tienden a volcarse en su interior, hacia la depresión, o en su exterior, con comportamientos malsanos. Por eso es por lo que creo firmemente que las chicas que habéis sufrido abusos sexuales tenéis que hablar sobre las emociones que rodean vuestro abuso sexual, para expulsar todos los controvertidos sentimientos sobre vuestro abuso y para empezar a curaros. Todavía sois jóvenes para que os liberéis de todo el bagaje emocional del abuso sexual que, de lo contrario, en la edad adulta os carcomerá. Todavía sois jóvenes para recuperaros, para haceros visibles.

En un mundo perfecto, por supuesto, no habría abuso sexual. Los hombres y los jóvenes, sencillamente, no atravesarían la línea, y si lo intentaran alguna vez las chicas no tendrían miedo de luchar y de decirlo. Podrían contar con apoyo y sabrían que se les creería. Pero, por supuesto, éste no es un mundo perfecto, de modo que necesitas encontrar a las personas que te defiendan, te protejan y te cuiden. Los amigos, las tías, las primas, los profesores, los orientadores; éstas son las personas que pueden ser tu ancla en el mundo cuando tu familia te falle.

A medida que leas las historias de los siguientes capítulos, recuerda que estás aquí porque eres una chica fuerte, capacitada y una superviviente. Puede que tu familia no estuviera allí para ayudarte, pero tú hiciste lo que pudiste para atravesar la experiencia del abuso, y ahora ya estás preparada para curarte. Estás preparada para encontrar y enfrentarte a la verdad. Estás preparada para hacerte visible.

CAPÍTULO 4

Descubrir tu verdad

Afrontar las secuelas emocionales y el principio de la curación

«De repente, volvieron todos los fantasmas...
Sigilosamente, con un paso distinto a todos...»

Un superviviente de incesto, de dieciocho años

En la página web del grupo feminista Le Tigre, una de sus integrantes, Kathleen Hanna, habla sobre el hecho de ser una superviviente de abusos sexuales. Les dice a las chicas que tengan cuidado sobre a quién le revelan su abuso. Una causa que tienen en común un gran número de supervivientes de abusos es que no les enseñaron a demarcar los límites adecuados y es fácil que acaben contándoselo a alguien que no sea la persona válida. Yo creo que ella tiene razón. Debes tener cuidado y saber a quién se lo cuentas. Sin embargo, también describe a las chicas que lo cuentan como los eslabones de la cadena que hará del mundo un lugar mejor para todos. También estoy de acuerdo en esto. Cuanto más hablen las chicas sobre sus historias, más curación habrá y más difícil le será a la cultura mantener el abuso sexual tan invisible.

De hecho, la premisa básica de este libro es que la mejor manera de curarse del abuso sexual consiste en hablar de ello, y que el mejor momento para hacerlo es ahora, que todavía eres joven. Desde la adolescencia hasta mediados los veinte años estás más capacitada para cambiar y crecer. En este período, cuanto más hables de tu abuso antes podrás curar las heridas que te provocó. El abuso sexual deja heridas, pero éstas se curan, y si te puedes ocupar de ellas ahora no tendrán tiempo de echar raíces y de causarte sufrimiento durante el resto de tu vida.

Si esperas hasta que tengas treinta años, o más, los problemas arraigados de un abuso sexual en la niñez casi siempre echarán raíces cada vez más profundas y será más difícil tratarlos. El abuso sexual trata de arrebatar a las mujeres su autovalía y su autoestima, y unas heridas no tratadas ponen a las mujeres en gran riesgo de sufrir violaciones en una cita o en matrimonios abusivos. Ésta es una de las razones por las que es tan importante contarlo ahora y empezar a curarse.

Encontrar un desahogo a tus sentimientos

«Cuando recorro el camino al colegio, estoy en otra zona; una zona donde no hay abuso ni violación.»

Una superviviente de violación, de diecisiete años

A menudo, antes de hablar de los traumas que nos han ocurrido tenemos que encontrar un desahogo a nuestros sentimientos. Si te das cuenta, probablemente ya tienes algunos de esos desahogos. Quizás esas carreras en la pista de atletismo te estén ayudando a liberar tu rabia. Quizás el hecho de cantar esos maravillosos y tristes cantos gregorianos te haya estado proporcionado un canal para liberar parte de la pena profunda; quizás el hecho de dibujar mujeres fuertes, de cuerpo entero, en el estudio de dibujo ha estado haciendo que tu cuerpo se sienta curado. Eso forma parte de la maravilla del cuerpo y de la mente: a menudo nos estamos curando a nosotras mismas sin ni siquiera darnos cuenta.

Las chicas encuentran distintas formas de expresar sus sentimientos sobre el abuso sexual. Algunas descubren que la mejor forma de liberarlo es plasmarlo en papel. Conozco a una chica, de dieciocho años, que llenó tres diarios con dibujos y textos sobre el incesto. Decía que cada vez que escribía o dibujaba sobre sus sentimientos sentía que dejaba marcharse partes de dolor.

Sea cual fuere lo que te ayude a dejar salir tus sentimientos —boxear, dibujar, bailar, escribir poesía—, hazlo. He oído a chicas que describen cómo el correr les da el sentimiento visceral de dejar salir parte de la tensión de sus tensos cuerpos. Con cada carrera están, literalmente, dejando salir la vergüenza interior y el dolor. Las chicas que bailan varias veces a la semana hablan de que es una forma de expulsar la pena de sus cuerpos y de sus almas.

Excavando hondo

«La percusión es mi mantra. Aporreo toda mi ira.»

Una superviviente de incesto, de diecinueve años

Todo lo comentado anteriormente da por hecho que tienes acceso a tus sentimientos. A veces, especialmente si sigues viviendo en casa de tus padres, puede ser muy peligroso permitirte sentir. Puede que sigas viviendo con tu incestuoso padre, o que sigas yendo al colegio con los chicos que te violaron en grupo, o que vayas a la iglesia donde el sacerdote abusó de ti. A menudo, cuando las chicas viven bajo el mismo techo que su abusador, necesitan anular su dolor. Es un mecanismo de supervivencia que puede que necesites hasta que te alejes de tu abusador. Pero una vez que estés dispuesta a reconocer que te violaron sexualmente, puedes comenzar la curación.

Disparadores

«Siento como si intentara calmar la ira que estalla dentro de mí como un volcán mientras mi mente sopla como un huracán.»

Una superviviente de incesto, de diecinueve años

Hay chicas que descubren que los recuerdos de la experiencia de su abuso sexual vuelven con ciertos olores o sonidos, como cuando escuchan determinada canción en la radio o cuando las tocan de determinada manera. Estas experiencias se llaman «disparadores». Una de mis pacientes sufrió abusos sexuales en la bañera y cada vez que intentaba bañarse se le desencadenaban recuerdos del abuso. Y otra no podía soportar que su novio le susurrara durante los momentos de intimidad, porque su hermano solía susurrarla y taparle la boca cuando abusaba de ella.

Todo tipo de experiencias pueden actuar como disparadores; lo quieras o no, o lo esperes o no. Puede ocurrir cuando estás viendo una película o leyendo un libro y te descubres a ti misma identificándote con el personaje del que han abusado. O puede ocurrir cuando otra chica te empiece a contar lo que le pasó a ella y tú, de repente, pienses: «Sí; lo mismo me ocurrió a mí también. Lo que me hizo mi hermano/tío/padre/amigo de la familia fue una violación. Fue incesto; ¡fue una violación sexual!»

Hay otras adolescentes que hablan de disparadores de temporada. Una chica que conocí contaba muchas veces cómo su padre abusaba de ella bajo un árbol del patio de su casa que estaba renovando sus hojas. Ahora, cada vez que cambian las hojas y siente el viento fuerte en la cara, lo recuerda y se pone enferma. Otra paciente recuerda haber sido violada por un grupo en el calor del verano. Hay ciertos olores que surgen con la humedad que le devuelven directamente a su mente la escena. Los disparadores no son controlables. Pero si reconoces cuáles son, y cuándo y por qué ocurren, puedes reprogramar conscientemente tus emociones. La paciente de la que abusaron en la bañera optó por recuperar la experiencia de bañarse. Se compró aceites de baño, velas y puso música suave para poder relajarse en las tranquilas aguas. Evidentemente, no es algo que funcione de la noche a la mañana, pero ahora realmente disfruta de un baño caliente y ya no lo asocia con su abuso.

La realidad es que tu abusador intentó programar tu vida. Pero él no te posee, y tú tienes la libertad y el poder para superar y trascender las asociaciones. Te mereces ser feliz, liberarte de cualquier sentimiento de vergüenza, culpa o miedo. Tienes derecho a una vida sexual completamente satisfactoria. Tú eres una joven honrada. Si puedes conectar con el sentimiento y cambiar conscientemente las asociaciones horribles, puedes reprogramar tu vida.

Puede que los sentimientos no surjan todos a la vez. Eso es completamente normal. Si a medida que cuentas tu historia te sientes desarraigada de tus sentimientos, deja que así sea. No permitas que nadie te diga cómo tienes que conectar con tus sentimientos. Ya lo harás cuando estés preparada para ello. A veces, el hecho de conectar tu corazón y tu mente te producirá más dolor del que puedas soportar.

Al final, los sentimientos terminarán saliendo a la superficie; habitualmente una combinación de miedo, vergüenza y culpa. Vamos a contemplar esos sentimientos directamente y descubrir si podemos romper sus garras sobre ti. Y recuerda: el abuso sexual *nunca* es culpa de la superviviente; es siempre culpa del abusador.

Miedo

«Nadie sabe cuánto han abusado de mí y cuánto odio el esqueleto que pasea con mi carne. Llevo mi miedo enquistado como una piedra en mi corazón.»

Una superviviente de miedo, de veinte años

No es extraño que el miedo sea una de las respuestas más comunes al abuso sexual: el miedo a lo que está ocurriendo, el miedo a que alguien lo descubra, el miedo a no saber cuándo tu abusador va a atacar de nuevo, el miedo a que el abuso nunca termine, el miedo a que te hagan daño si lo cuentas, el miedo a que te hayan arruinado para toda la vida. Quizás, incluso, temas que el abuso sea tu destino. El incesto, la violación a manos de un desconocido, la violación en una cita, la violación a manos de un conocido, el abuso a manos de un sacerdote/entrenador/instructor; cualquier tipo de abuso sexual conlleva, además, la carga del miedo.

A los abusadores, normalmente, se les da muy bien infundir miedo. Quizá tu primo te dijo que tú sólo valías para que abusaran de ti. Quizá tu padre te atemorizó de tal manera que tienes miedo de que si revelas el abuso toda la familia sufrirá. Puede que te haya dicho que tu madre lo sabe y que no cuentes nada, o que te haya comentado que tu madre te echará la culpa, o que desestabilizarás a la familia.

Son el tipo de trampas que tienden los abusadores. La verdad es que a tu abusador no le interesa si te hacen daño. Si le interesara, no abusaría de ti. Lo único que le interesa es su satisfacción, su control, sus necesidades. En el caso del incesto, puede que de cuando en cuando sientas amor de parte suya y que haya momentos en los que realmente te esté queriendo, pero este amor es interesado y la trampa que tiende está tan bien preparada, que sientes que no hay vía de escape.

El primer paso para superar el miedo consiste en reconocer que el abusador no sólo es responsable del abuso, sino también del miedo que éste conlleva. Él fue el que lo puso ahí, no tú. El hecho de hablar de tu miedo con un terapeuta o con una amiga te puede ayudar a descubrir que el miedo fue algo que te infundieron y a distanciarlo un poco. Cuando el abuso ha terminado y tu abusador ya está fuera de tu vida, sigue reafirmándote a ti misma que él te hirió pero que ya se ha ido, y que nadie más te volverá a herir de esa manera. Puedes intentar hacer una lista de todo lo que te da fuerza en el mundo. Y recuerda que no pasa nada si, de cuando en cuando, tienes miedo. A menudo me encuentro a mí misma diciéndoles a las chicas que no pasa nada porque miren debajo de la cama antes de dormir; no pasa nada porque duermas con un muñeco de peluche o con su perrito; no pasa nada porque compruebes el pestillo de la puerta. Si eso es lo que necesitas para convencerte a ti misma de que nadie puede entrar, de que nadie te puede herir, hazlo. Es completamente natural tener miedo. Habla sobre él, defínelo, ponle una etiqueta y podrás enfrentarte a él.

Culpa

«Dios no me quería. Daba igual que le rezara, o no, antes de irme a mi pequeña cama con pegatinas de los Power Rangers. Yo ya llevaba mucho tiempo pensando que era culpa mía, que si hubiera hecho algo, simplemente ser un poco más lista, se lo podría haber impedido.»

Una superviviente de incesto, de diecisiete años

Otro sentimiento que rodea el abuso sexual es la culpa. Si eres una superviviente de incesto, puede que te sientas culpable por no habérselo contado a nadie, aunque sigas sin imaginarte el hecho de decírselo a alguien. Puede que pienses: «Por qué no se lo impedí.» Puedes que te sientas culpable por ello. Si te violaron en una cita cuando estabas borracha o drogada, puede que te sientas totalmente culpable por lo que ocurrió. De hecho, la culpa puede ser abrumadora, especialmente si la experiencia te dio algo de placer. Los cuerpos de algunas chicas no pueden evitar responder a la estimulación física. Es la forma en que están programadas; es algo totalmente normal. Pero después se sienten atormentadas por la culpa y el asombro: «¿Cómo pude disfrutar de esto? ¿Qué tipo de monstruo soy yo?»

Hay otras chicas que sienten algo, pero no es placer; es un terrible dolor y terror. Y hay otras que se quedarán insensibilizadas, saliéndose de sus cuerpos para no sentir nada en absoluto. Conozco incluso a ginecólogos que me han contado que han reconocido a chicas con heridas en la vagina que no recuerdan haber tenido sexo a la fuerza.

Es como si te pusieran un cubito de hielo en la espalda. Al principio sientes el frío, pero si te ponen más cubitos en la espalda puede que te hagas inmune al frío —después de un tiempo puede que no sientas nada en absoluto—, aunque sigas sabiendo que los cubitos de hielo están ahí. Algunas supervivientes de incesto hablan sobre el hecho de quedarse atontadas físicamente. Incluso algunas chicas que han contraído herpes o alguna enfermedad de transmisión sexual que les causa incomodidad, dicen que tienen la zona genital prácticamente insensibilizada.

Sólo tienes que recordar esto: ya sientas placer, o dolor, o nada en absoluto, tú no te lo provocaste. Te lo provocaron de modo absolutamente calculado y no hay nada de lo que te debas sentir culpable o avergonzada. Recuerda: el abuso sexual nunca es culpa de la chica. Nunca. Incluso en los casos de abuso en una cita, en los que si tú te hubieses resistido o hubieras dicho que no, podrías realmente haber tenido algún poder para controlar el resultado, la culpa sigue siendo de tu abusador, no tuya.

Vergüenza

«A veces, la vergüenza me abruma. Me quedo sentada, sintiendo frío, pero me niego a cerrar la ventana. Salgo sin un buen abrigo en mitad del invierno. Me siento en cualquier lado tiritando y ni siquiera pienso en ponerme un jersey. Siento como si me mereciera este frío, esta incomodidad.»

Una superviviente de incesto, de veintidós años

Llega un momento en que todas las supervivientes de incesto sienten vergüenza. Hay otros tipos de abuso que también hace que las chicas sientan vergüenza, pero ésta está encarnada en la propia naturaleza del incesto. La vergüenza se diferencia sutilmente de la culpa. La vergüenza no está conectada necesariamente con el acto en sí; es el secretismo de todo ello lo que causa la vergüenza. Después de todo, si no hubiera nada de lo que estar avergonzado, no sería tan secreto, ¿no?

La vergüenza te produce una especie de atontamiento silencioso; puede parecer que alcanza el centro de lo que tú eres y puede que empieces a creer que te define. Estás segura de que la gente puede empezar a decir que tu padre, tu padrastro o tu hermano está abusando de ti. Llevas a cuestas esa vergüenza y, al final, empiezas a creer que la vergüenza existe por culpa tuya, porque estás guardando este secreto terrible. Puede que intentes no pensar en ello, pero empieza a aparecer en tus sueños. Puede que empieces a pensar que la gente te juzgaría, te rechazaría y te culparía si lo supieran.

La vergüenza del incesto es una de las emociones más difíciles de superar. Una y otra vez desalienta a las chicas para que lo digan. Pero créeme: una vez que se lo cuentas a una amiga de confianza, un familiar, un orientador o un terapeuta la vergüenza empieza a desaparecer.

Si eres víctima de incesto, por favor, sé consciente de que tu padre no empezó a abusar de ti por algo que tú dijeras o hicieras. Lo hizo porque es una persona enferma y con una idea completamente distorsionada del bien y del mal. Intentó arrastrarte a su demente realidad. Sin duda, planeó cómo entrar en una situación sexual contigo. No fue culpa tuya. No tenías alternativa. Esto también es aplicable para otros tipos de abuso. A medida que empieces a enfrentarte a tu abuso, puede que te sientas abatida, deprimida y que temas la intimidad, pero no tienes por qué sentirte mal o avergonzada. Tu padre/hermano/tío/conocido es el que está enfermo y te tendió una trampa. Cuando empieces a abandonar parte de la vergüenza, empezarás a abandonar parte de tu sentido de responsabilidad, y viceversa, y eso es algo vital para la curación.

En todo abuso hay vergüenza. Pero la vergüenza pertenece al acto, no a ti. Es muy importante que recuerdes que alguien cometió un acto de violencia contra ti y tú no se lo pudiste impedir. Puede ser difícil contemplar esto en relación contigo misma. Pero piensa en otras chicas de las que se ha abusado. ¿No es fácil comprobar que no fue culpa suya? ¿No les dirías que no se avergonzaran? Haz lo mismo contigo.

Otras secuelas: sexo después del abuso

«Mi novio me dice: "Hay demasiada gente aquí." Porque llevo a mi padre conmigo.»

Una superviviente de incesto, de veinte años

Muchas adolescentes que han sido víctimas de abusos sexuales continúan teniendo sentimientos contradictorios acerca del sexo. Hay chicas que dicen que son promiscuas porque es su instinto o que siempre tienen sexo sin sentido porque es para lo único que creen que valen. Se sienten despreciables, así que no hacen más que salir con un chico detrás de otro y permiten que las utilicen para el sexo, y no sienten nada. Pero, en realidad, a través de estos vínculos sexuales estas chicas están intentando obtener poder. Están intentando superar la sensación de impotencia que el abuso sexual les produjo y «demostrar» que pueden elegir con quién tener sexo.

Algunas adolescentes alucinan totalmente si tienen fantasías sexuales violentas. No pueden creer que las fantasías de violencia las exciten y se sienten muy avergonzadas por ello. O sienten que la única manera de excitarse será siendo dominadas violentamente. El simple hecho de hablar de esto y de admitirlo, aunque sólo sea en un teléfono de asistencia, puede ser realmente útil. No estás sola. Muchas personas que han sido torturadas tienen ese tipo de fantasías. Si estás abierta a contemplarlas y a hablar de ellas, pasarán. Empezarás a entender que no eres un engendro y que, simplemente, estás respondiendo a lo que te han hecho. Al final, te liberarás de la vergüenza al tener más control sobre tus fantasías.

Hay muchas chicas que cuentan que tienen miedo de que las toquen, que tienen miedo de que si las tocan del mismo modo en que el abusador las tocaba pueden alucinar. Hay otras que tienen miedo de la intimidad sexual. Algunas cuentan que no sienten nada cuando las tocan, porque estuvieron mucho tiempo haciendo escapar sus cuerpos durante el abuso sexual.

Si hay algo de esto que te esté pasando a ti, concédete un poco de tiempo. Tú puedes tener, y tendrás después del abuso, relaciones saludables, amorosas, íntimas y sexuales.

Una vez que tengas una relación con un amante sensible que entiende (¡y si ella/él no lo entiende, quizá no sea la persona adecuada para ti!), recomiéndale el libro de Laura Davis *Allies in Healing: When the Person You Love Was Sexually Abused as a Child*. Como sugiere el subtítulo, tiene puntos de vista muy útiles para los compañeros de las chicas adolescentes o de las mujeres que sufrieron abusos sexuales.

Vamos a dejar en claro esto ahora mismo: no eres una mercancía dañada. Tienes derecho a tener una vida sexual buena y satisfactoria; con alguien que respete tus límites. El acto sexual, cuando va acompañado de amor y deseo, y de una profunda atracción y conexión, es todo lo contrario a la violación, al abuso sexual y al incesto. De modo que considera tu primera historia amorosa sexual como si fuera la primera. No te preocupes, y no tengas miedo, si en un principio tu experiencia te devuelve sentimientos y recuerdos del abuso. Puedes tomártelo con calma y ser honesta con tu pareja, que te respeta, sobre lo que sientes y sobre cuántas y qué tipo de caricias te hacen sentir cómoda. Esos sentimientos se sustituirán al final con placeres sexuales y sensuales saludables. Sólo tienes que concederte un poco de tiempo.

Dejar pasar

«Me separé a mí misma de mis emociones, las guardé en una bolsa hermética de congelados y las puse en el congelador. Ahora ya estoy preparada para descongelar esa bolsa.»

Una superviviente de violación en una cita, de veinte años

Tú, en cambio, que elegiste hacer frente y revelar tu abuso —a través de la poesía, el arte, la danza o el atletismo, ya se lo hayas dicho a un amigo o a muchos, a tus padres o no— no te preocupes por cómo estén saliendo las cosas. Y no te preocupes si hay días en que quieres hablar mucho sobre ello y en otros en que no quieres hablar de ello en absoluto. Todo está bien. Éstos son tus sentimientos y eres la que determinas qué hacer con ellos. Puede que te sientas mal por contárselo a la gente o puede que sientas como si soltaras un gran peso. Lo fundamental es que al contar tu historia estás abandonando la pena y la culpa que te han mantenido en conflicto y llena de dudas sobre ti misma. Estás trazando un nuevo mapa de carreteras, atravesando una especie de metamorfosis y recuperando lo que el abusador intentó arrebatarte pero nunca consiguió llevarse. Hay mucho poder en el simple hecho de contarlo. Tengas la edad que tengas, tienes la adecuada para salir y contar tu verdad. Encuentra a alguien a quien contárselo; y cuéntalo, cuéntalo, cuéntalo hasta que te quedes afónica. Cuéntalo hasta que ya no puedas más. No se llevará lo que te ocurrió, pero replanteará tu vida y le quitará el poder al abuso y al abusador. Sigue leyendo; y recuerda: tú eres fuerte y resistente. Y no estás sola.

SEGUNDA PARTE

ANTES DE QUE ABRAMOS LA CAJA

CAPÍTULO 5

El don de las chicas

Cómo soportan las chicas la experiencia real de abuso

«Mientras mi padre abusaba de mí, contemplaba el papel de la pared lleno de pequeñas hadas. Me imaginaba que eran mis amigas y que me espolvoreaban con polvo de hadas. Me inventé nombres para ellas, y yo era la reina de las hadas, y podía proteger a todas las niñas del mundo.»

Una superviviente de incesto, de diecisiete años

Si tú no eres una superviviente de abuso sexual, puede que te preguntes cómo diablos las chicas pueden soportar esas experiencias; pero si eres una superviviente, probablemente lo sabes muy bien. Tú también has vivido lo insoportable y te has levantado al día siguiente, te has arrastrado hasta el colegio, te has sentado en clase como si nada hubiera ocurrido, has jugado en el equipo de fútbol, has hablado en el grupo de debate, has pintado, escuchado música o poesía. Algunas supervivientes aprenden a vivir con su abuso. Tienen que hacerlo, es la única manera en que pueden funcionar.

Una de mis pacientes me contaba un increíble sueño que tuvo muchos años después de que el abuso cesara, en el que ella era su yo más joven en la cama de su niñez. En el sueño, su padre venía; como de costumbre, se ponía encima y empezaba a tener sexo con ella. En cuanto empezaba a violarla, una parte de ella —lo que llamaba «el ser transparente»— se levantaba de la cama y observaba a «la chica» y al padre; a continuación, veía a todos esos pequeños ángeles que rodeaban la cama de la niña. Ellos levantaban a su padre y lo hacían desaparecer; después, la niña que estaba flotando descendía de nuevo a la cama y se fundía con su propio cuerpo.

Este sueño describe lo que muchas jóvenes experimentan, ya sea consciente o inconscientemente: abandonar sus cuerpos para sobrevivir al abuso. Clínicamente, esto se llamaría «disociación», y hay muchos médicos inexpertos que trabajan con víctimas de abusos sexuales que piensan que esta idea de abandonar el cuerpo, de flotar, es un problema psicológico. Pero como comprobarás en este capítulo, no sólo no es un problema sino que es un salvavidas, una estrategia increíble para sobrevivir a un trauma.

Algunas chicas abandonan sus cuerpos o crean mundos fantásticos; otras concentran toda su energía mental en algún elemento de la habitación, o de fuera de la ventana, como una forma de separarse a sí mismas con un muro de lo que les está ocurriendo a sus cuerpos. Se sabe que hay chicas que cuentan, hacen una lista, cantan en silencio, crean una obra de arte, hacen una coreografía, memorizan complejos problemas matemáticos o canciones, o se proyectan a sí mismas en la pintura de la pared; todas ellas son formas de alejar sus mentes de la situación.

En las siguientes páginas oirás a Margarita, que cuenta cómo se veía a sí misma como una heroína rescatando a niños que estaban atrapados. Rubí nos narra cómo recitaba la canción infantil *El chino capuchino mandarín* para sí misma. Otras chicas hablan de que se centran en el color del papel pintado, en los matices de la luz que entra por la ventana, en el sonido de los pájaros fuera de la habitación... Una de mis pacientes contó las flores del papel pintado hasta que llegó a seiscientos cuarenta y tres. Una adolescente me contó que desaparecía en un cuadro con una barca y se iba navegando. Hablé con una chica que se había memorizado la letra de una ópera italiana. Incluso una de mis pacientes, durante el abuso, utilizaba otro nombre para no tener que identificarse con el nombre manchado con el que su padre la llamaba.

A menudo, la única forma de superar traumas como éstos consiste en no sentir. Y esto es exactamente lo que los mundos de fantasía permiten: proporcionan a las chicas un lugar donde ir para no tener que estar presentes en sus cuerpos violados.

En 1992, Judith Lewis Herman, una de las personas que más ha contribuido a la comprensión del abuso sexual, publicó *Trauma and Recovery*. En este revolucionario libro, Herman compara la violencia de ser un prisionero de guerra con la violencia de ser una víctima de abusos sexuales. Ella saca a relucir, de forma brillante, las similitudes entre estar aterrorizado tanto política como sexualmente. Muestra que ambos tipos de supervivientes sufren intensos sentimientos de culpa y de vergüenza, sin tener a menudo a dónde acudir ni con quién hablar. De modo que se vuelven hacia su interior. Se sabe que los soldados encarcelados han sobrevivido haciendo listas obsesivas o contando. Las chicas hacen lo mismo cuando están abusando sexualmete de ellas. Sus mentes y sus espíritus inventarán formas fantásticamente creativas para sobrevivir a la tortura.

Herman habla de cómo el monumento conmemorativo a la guerra de Vietnam, al reconocer la realidad de toda muerte, sufrimiento y trauma de la guerra, proporciona a los veteranos una especie de contenedor para su dolor. Da credibilidad a su sufrimiento. Mi libro pretende ser ese memorial para las supervivientes de abusos sexuales; una prueba del dolor, incluso un reconocimiento de que todavía estás viva por dentro y por fuera, después de que el que perpetró el abuso intentara aniquilar tu espíritu y arrebatarte tus propios derechos.

Crear mundos alternativos

Eso no quiere decir que resulte fácil hablar de tu mundo de fantasía. Las adolescentes saben que puede parecer un poco «de locos» divulgar los detalles de sus fantasías. Pero en mi trabajo con chicas he descubierto que, con el tiempo, a medida que se sienten más cómodas hablando del propio abuso, revelarán algunas estrategias que utilizaban para soportarlo.

Si me preguntan si pienso que están locas, yo siempre les tranquilizo diciendo que los mundos que crearon reflejan su extraordinaria capacidad para encontrar recursos y que admiro su habilidad para sobrevivir. El hecho es que la habilidad de una chica para trasladarse a otro lugar durante su abuso sexual, de crear un lugar para sí misma seguro e inviolable, lo único que significa es que no permitirá que su abusador aniquile su espíritu. No importa cuántas veces la viole, esto es algo que no le puede robar.

A menudo, un terapeuta no entenderá completamente estas estrategias. He trabajado con varias pacientes que han acudido a mí después de haber trabajado con otro colega que quería ayudarles a «resolver el problema» de la fantasía. Pero estas chicas sabían intuitivamente que no había nada de malo en el hecho de que fantasearan, y que esto fue lo que les permitió soportar el abuso. Sus fantasías son como la mantita de seguridad de un niño, accesibles cuando las necesitaron para encontrar consuelo o para atravesar una transición, pero no un sustituto de la realidad.

Por supuesto que hay chicas que no pueden desaparecer en las fantasías durante el abuso. Si tu padre o abusador no deja de hablar, o te ordena que hagas ciertas cosas, tienes que estar presente para estar segura; no puedes escapar. Por ejemplo, el tío de una de mis pacientes asiáticoamericana solía hacerle pasar por un ritual en el que se tenía que postrar a sus pies y recitarle una frase en la que le decía que le veneraba y adoraba, y que quería tener un hijo suyo tan pronto como tuviera la edad de concebir. Durante el abuso, también la forzaba a repetir estas frases. Otra paciente contaba cómo su padre, durante el abuso, la forzaba a que alabara continuamente su cuerpo y su hombría. A menudo, las chicas no tienen la opción de desaparecer. Pero las chicas que tienen opciones las utilizan. En este capítulo, Rosa y Margarita te contarán los increíbles mundos de fantasía que se construyeron para sobrevivir a la violación y el abuso. Si tienes dudas sobre su cordura o la tuya, sigue leyendo. Son chicas extraordinarias: fuertes, valientes y totalmente cuerdas que utilizaron sus mentes para sobrevivir a lo indecible.

Rosa

Rosa es una de esas jóvenes cuya experiencia fue tan brutal que puede que te preguntes cómo sobrevivió a ella. Es difícil creer que una chica pudiera estar atrapada con un abusador durante diez años sin nadie que la ayudara. Rosa sufrió este largo incesto a manos de su padrastro. Su madre, que era enferma mental, sabía que estaba abusando de ella, pero no lo impidió. En su historia, Rosa nos lleva al interior del elaborado mundo de fantasía que creó para escapar una y otra vez de su padrastro.

Rosa llegó a mí a través de la red clandestina de chicas que llevaban a sus amigas para que recibieran ayuda. Había estado trabajando con niños en un campamento cuando se vino abajo. Vio a un niño que quería meter su mano por debajo de las braguitas de una niña, y se quedó horrorizada. De hecho, se desmayó. Cuando se despertó, le dijo a su supervisor que se sentía mal y que necesitaba irse a casa. Aquella noche, llamó a una amiga que sabía que había hecho algo de terapia y le dijo que era una superviviente de incesto y que estaba teniendo recuerdos. Le pidió a su amiga que le llevara a la siguiente sesión de terapia.

Conocí a Rosa cuando tenía veintitrés años. Era una mejicana guapa, alta, fuerte y que se expresaba muy bien. Pero cuando empezó a hablar de su abuso, su voz se hizo muy, muy débil. Me dijo que sentía molestarme con su historia y me explicó que pensaba que ya la había superado. Al fin y al cabo, el abuso sexual había finalizado cuatro años antes, y ya había presentado cargos y había visto cinco veces a un abogado de oficio. Se sentía avergonzada de que tuviera que hacer más trámites.

Yo le aseguré que no había nada de lo que sentirse avergonzada, y empezamos el tratamiento.

Rosa me contó que su madre es esquizofrénica, su padrastro un alcohólico y que ella era hija única. El padre biológico de Rosa abandonó a la familia poco después de su nacimiento y ella sólo tenía seis años cuando su madre se casó con un hombre que ya había estado condenado por abuso de niños. Él esperó dos años antes de empezar a abusar de Rosa. Continuó abusando de ella hasta que tuvo dieciocho años.

Su familia vivía en un viejo remolque, en una zona pobre y sucia, a las afueras de Texas. Su madre recibía asistencia social y su padrastro nunca trabajaba. A menudo, Rosa no comía. Cuando la enviaron al colegio y vieron que sólo hablaba español, la remitieron a educación especial.

Pero ella demostró que el colegio se equivocaba y continuó hasta convertirse en una perfecta estudiante. Ésa era la forma de actuar de Rosa. Durante todos esos años en los que estuvo siendo víctima de abusos sexuales, Rosa sólo mostró al mundo a una chica perfecta: una perfecta estudiante, una perfecta amiga, una perfecta hija. Hacía exactamente lo que se le decía y cuidaba de su madre enferma lo mejor que podía.

Hasta que llegó a la universidad todo transcurrió así. Durante su primer año en la universidad trató de suicidarse con una sobredosis de píldoras. Afortunadamente, su compañera de habitación la encontró a tiempo; ya en el hospital, Rosa contó a los servicios sociales cómo era la vida en su casa. Su padrastro fue arrestado y procesado, y a su madre la remitieron a tratamiento psiquiátrico.

Rosa ha estado en terapia conmigo durante los últimos cuatro años, y ha sido un largo y duro camino. Como le resulta difícil confiar en nadie, llevó todo un año antes de que Rosa se abriera a mí y tuviera fe en que la terapia la podía ayudar. Cuando comenzó la terapia nunca había tenido una relación y estaba aterrorizada de dejar que nadie la conociera, incluyéndome a mí. Ahora, con veintisiete años, está haciendo un doctorado en trabajo social en la Universidad de Columbia. Poco a poco ha empezado a quedar con gente y ha desarrollado nuevas amistades. Le apasiona el trabajo y quiere ayudar a los niños socialmente desprotegidos. Yo creo que Rosa lo logrará y que salvará a muchos niños. También creo que su historia y su profunda honestidad ayudarán a las supervivientes de incesto a pasar al otro lado, sabiendo que no están solas.

Historia de Rosa
Construir casas, construir sueños

A lo largo de toda mi infancia yo era la que estaba a cargo de todo. Al menos ésa era la ilusión que quería mantener. Tenía control. Por supuesto, sabía que sólo dispondría de este control mientras no cambiaran mucho las cosas, mientras interpretara mi papel. Ese papel incluía no decir nada sobre las violaciones que había sufrido durante diez largos años a manos de mi asqueroso, borracho y viejo padrastro. La primera vez que me atacó, él debía tener unos setenta años. Yo estaba sola con él, en el remolque. Tenía más o menos ocho años. Se acercó a mí, me sujetó en el sucio sofá y me metió los dedos en la vagina, poniendo a la fuerza su sucia y borracha boca en la mía. Cuando acabó, me empujó a un lado.

Cuando mi madre llegó a casa por la noche, me encontró acurrucada en una esquina, temblando y llorando. Yo le conté lo que había ocurrido. Le supliqué que me ayudara, pero ella se quedó mirándome con extrañeza, y dijo: «Mira, él nos ayuda con el dinero. Intenta no ofrecer mucha resistencia.» Yo sabía que mi madre estaba loca, pero no tenía ni idea de que me haría soportar esto. Ella oía voces que no hablaban y veía a gente que no estaba allí, pero era todo lo que yo tenía. De modo que comencé mi retraimiento.

Ignoraba el olor a pis de gato por todas partes, los vasos sucios que siempre llenaban el lavadero, el césped sin cortar y los armarios vacíos, pero no podía ignorar a mi padrastro. Recuerdo el cajón de la pistola, el depósito de la fusta y de los rifles. Éstas eran las armas con las que mi padrastro amenazaba con herirme si le contaba algo a las autoridades. ¿Contar a las autoridades? Eso era lo último que yo quería. Lo único que quería era estar tan aislada de los demás como pudiera. No me podría imaginar que alguien se ocuparía alguna vez de mí.

Me refugié completamente en los libros y en el colegio. Siempre que podía, me quedaba en el colegio y leía hasta que cerraban el edificio, a las seis de la tarde. Me apunté a las Girl Scouts y al coro. A medida que transcurrían los años, me apunté a natación, al grupo de debate, al grupo de animadoras, a la junta de gobierno del colegio; lo que fuera con tal de estar fuera de mi casa.

Intenté todo tipo de estratagemas para mantenerme alejada de mi padrastro, pero él se las arreglaba para acorralarme y enrollarse conmigo en cuanto podía. Pero cuando llegué a la adolescencia empecé a rebelarme. Empecé a guardar un cuchillo debajo de la almohada para, si venía en medio de la noche en plena borrachera, poder sacarlo y amenazarle. A veces funcionaba y me dejaba en paz. Pero no siempre era tan fácil. Había muchas veces en que conseguía ponerse detrás de mí y me atraía hacia él, de modo que no podía escapar. Aunque para entonces ya era un viejo, todavía era muy fuerte, pues había sido obrero de la construcción.

Intentar conseguir ayuda de mi madre era algo completamente inútil. En esa época, ella estaba escuchando voces casi todo el tiempo y casi no se podía bañar por sí sola. Yo sabía que mi madre no tenía derecho a pedirme complicidad —ella era la adulta, la madre— y, a pesar de todo, estaba clarísimo que era incapaz de protegerme.

Mi madre me dijo que podía soportar los abusos porque yo era un «alma antigua». Me dijo que yo era un alma que había vivido muchas vidas en lugares distintos, que había soportado muchas cosas y que continuaría haciéndolo. Yo casi sentía como si la gente fuera a ser capaz de verme, si me miraban, todo el dolor, todo el tiempo, todos esos siglos de vida y muerte encerrados tras mis ojos de niña.

Pero nadie parecía darse cuenta.

Y durante todo ese tiempo en el que dormía por la noche con un cuchillo bajo la almohada, muerta de miedo de que ese asqueroso viejo me volviera a violar otra vez, yo seguía consiguiendo premios académicos y deportivos en el colegio. Se podría considerar una doble realidad.

Desde muy joven, tenía estos pequeños mundos secretos a los que me escapaba. Me imaginaba a mí misma como personas diferentes con personalidades complejas. Me veía a mí misma como fuerte, protegida y capacitada.

Incluso cuando era pequeña y estaba acurrucada bajo las mantas, y le oía venir y sentía el olor a cigarrillos y cerveza de su aliento, y sus ropas sucias y malolientes, y sabía qué era lo que venía a continuación, me retiraba a mi pequeño mundo de limpieza y perfección, y me mantenía a salvo.

Me hacía la dormida —a él le daba igual— y me inventaba un nuevo mundo fantástico cada vez. Cuando él terminaba, podía dormirme ya en paz, porque ya no era la pequeña niña asustada en un remolque destartalado; era una princesa de una isla, una reina guerrera, una niña desamparada convertida en una gran belleza. Tenía el control.

Me trasladaba a lugares maravillosos. Tenía una amiga que vivía en una casa muy bonita y cuando iba a visitarla devoraba las revistas y los catálogos que estaban desperdigados por la sala de estar. Por eso, mis casas de fantasía eran siempre tan bonitas. Siempre tenían suelos limpios y relucientes como espejos, ventanas con cortinas preciosas que ondeaban con la brisa, flores frescas y alfombras limpias. A veces me imaginaba en un jardín lleno de lirios, madreselva, mimosas, peonías, orquídeas, rosas y magnolias. En realidad, nunca había visto magnolias, pero me encantaba la palabra y la hacía resonar en mi mente. Me imaginaba cómo eran y cómo olían las magnolias. Daba igual lo que pensara con tal de mantener la mente ocupada.

También me trasladaba a lugares sobre los que había leído en libros, cambiándolos si había partes que no me gustaban y añadiendo otras nuevas para mantener mi mente ocupada. Me encantaba leer sobre caballos y me gustaba imaginarme en una isla sin nadie más alrededor —sin coches, ni calles, ni tiendas ni colegios—, sólo una casa enorme llena de utensilios blancos, y abrir las ventanas y ver fuera caballos sobre la hierba. O estaba en una acogedora cabaña en el bosque y me las tenía que arreglar yo sola. Por supuesto, la cabaña la había construido yo —tenía poderes hercúleos— y también podía talar árboles. Recogía fresas silvestres y pescaba en los arroyos para conseguir comida. Me inventaba mundos de hadas y paisajes míticos.

Cuando a mi cerebro se le acababa la fantasía, o simplemente se negaba a ir tan lejos, me imaginaba palabras en mi cabeza: R-A-M-O D-E R-O-S-A-S. Después, contaba las letras y los espacios de las palabras, y me imaginaba cómo iban siendo escritos por las teclas de una máquina de escribir. Cada vez que tenía un momento libre que se podía llenar de algo doloroso, tomaba palabras, frases de los anuncios de televisión y diálogos enteros, y las recitaba una y otra vez.

Desde que oía sus pasos alejándose de mi habitación, seguía contando hasta que me dormía. Incluso ahora, con veintisiete años, si lo necesito, me puedo retirar en mi mente a un lugar mejor y más seguro. Y a veces mi fantasía me devuelve a esa niña asustada y acurrucada por la noche, y me acerco y la abrazo, y le digo que todo saldrá bien.

Mis mundos de fantasía me salvaron; yo no tengo ninguna duda al respecto. Yo fui el ángel que me mantuvo viva.

Mis pensamientos

Rosa se mantuvo a sí misma viva, espiritual y físicamente, utilizando su cerebro y su imaginación. Cuando se marchó de casa y fue a la universidad, todo se le derrumbó; y todo empezó a tomar forma. De repente, cobró claridad sobre el abuso sexual. Hizo falta que se fuera de casa y que viviera sola para que esto ocurriera. Entonces fue cuando se pudo permitir sentir. Y una vez que ya no estaba con el piloto automático, una vez que ya no tenía que mantener todo bien atado para poder soportarlo, se dio cuenta de lo verdaderamente horrenda que su experiencia había sido. Y entonces fue cuando intentó suicidarse.

Éste es un escenario común: después de dejar la casa en la que estaba el abusador, las chicas tienen algún tipo de crisis nerviosa o de derrumbe emocional. Mientras siguen viviendo bajo el mismo techo que el abusador, sencillamente no se pueden permitir sentir totalmente o procesar lo que está ocurriendo. Pero cuando la dejan y pueden bajar la guardia, se desmoronan.

A menudo también es éste el momento en que las chicas vienen a verme, una vez que ya están fuera del peligro inminente, y pueden empezar a procesar su abuso.

Margarita

Cuando conocí a Margarita ésta tenía dieciocho años, vivía por su cuenta y trabajaba la jornada completa. Me dijo que estaba enamorada de su compañera, una mujer de veinte años. Tenían una buena conexión sexual, que para Margarita no era amenazadora en absoluto, pero no era capaz de intimar con su pareja emocionalmente y quería llegar al fondo de sus problemas con la intimidad. Tenía una relación amorosa y de apoyo, pero ella estaba aterrorizada. Margarita sobrevivió a abusos sexuales, desde los siete hasta los quince años, a manos de su tío biológico y de su primo.

Margarita hablaba de que estaba segura de que era homosexual, pero que aun así seguía yendo de bares y ligaba con chicos. Quería intimidad en su relación, pero ella no hacía más que apartarse. Margarita nunca había compartido con nadie que habían abusado de ella durante su niñez y adolescencia. Guardaba su secreto celosamente, hasta que un día tuvo una crisis y se lo contó a una buena amiga. Esta buena amiga resultó ser una de mis pacientes, así que trajo a Margarita para que yo la viera.

Durante los años que duró su abuso sexual, Margarita a menudo habitaba en un elaborado mundo fantástico, con muchos detalles específicos. Se podía pasar horas y horas en este mundo. En el mundo de Margarita, ella era la superhéroe más maravillosa, interesante y variada que te puedas imaginar. En el mundo «real», por supuesto, ella era una niñita asustada sin poder alguno. Cuando conocí a Margarita, ella sabía que su mundo fantástico la había salvado, pero también sabía que ya era hora de unirse al mundo «real».

Hace dos años que trabajo con Margarita. Todavía se retira a su mundo de fantasía cuando lo necesita, pero se ha recuperado de forma increíble. Ella es un miembro con buena reputación en nuestro mundo y nuestro mundo es mejor por contar con jóvenes como Margarita.

Historia de Margarita
Una superhéroe mejor que todas las superhéroes

Desde que tengo memoria, siempre he disfrutado mucho con mi imaginación. De pequeña me encantaba pasarme horas sola en la habitación, donde me podía escapar a mi pequeño mundo de muñecas, libros, colores y seguridad. Hacía casitas de muñecas con las cajas de zapatos y calles con papeles de colores.

Recuerdo que la primera vez que abusaron de mí tenía siete años y estaba sola en mi habitación trabajando en una de mis creaciones. Mi primo, ya adolescente, vino a darme las buenas noches antes de irse a su casa, por la noche. Se acercó a mí y me besó, y después metió la mano por debajo de mi camisa, y me apretaba y se burlaba. Yo me sentí rara, pero a mí me gustaba este primo, así que le dejé hacer. Mi madre tenía dos trabajos. Mis padres se habían divorciado cuando yo tenía dos años y, la verdad, es que no me acuerdo de mi padre. Dejó el país y se fue a Trinidad, de donde provenimos nosotros. Siempre había familiares que iban y venían a casa, así que atendía a muchas personas. Este primo en concreto, solía sentarme en su regazo cuando veíamos la televisión. Llegó un momento en que empezó a introducirme la mano por debajo de la camisa y de las bragas. Yo intentaba soltarme, pero él me decía que era lo que normalmente hacían los primos. Me dijo que era culpa mía que él lo hiciera y que si se lo contaba a mi madre, ella se enfadaría muchísimo.

No tengo muy claro por qué no se lo dije a mi madre, probablemente porque no la veía mucho. Normalmente, cuando iba al colegio ella estaba durmiendo y cuando volvía a casa ya se había marchado. Mi madre era también una cristiana muy devota y decía siempre que el sexo era algo sucio, que lo mejor era apartarse de él. Así que cuando se quedaban familiares cuidándome, yo intentaba pasar la mayor parte del tiempo sola, en mi habitación.

Cuando tenía cerca de doce años, el padre de mi primo, mi tío, me practicó a la fuerza sexo oral. Mi primo y mi tío siguieron abusando de mí hasta que tuve quince años y la suficiente fuerza física y valor para pararles. Hasta entonces, sus amenazas de que me iban a mandar de vuelta a Trinidad fueron suficientes para mantenerme callada. Pero me sentía como una muñeca de trapo usada.

Por eso me creé un mundo donde era fuerte y valiente, y podía luchar con cualquiera. Me inventé distintos nombres para mí misma. A veces me llamaba Verdad, a veces Victoria, pero siempre mataba a los malos. Es este mundo propio tenía todo tipo de aventuras que las personas de ningún modo pueden hacer. En mi mundo de fantasía, a la gente le gustaba yo y me respetaban por mi carácter, no por mi apariencia. Era flaca, no muy alta, atractiva pero no guapa. Era atractiva de un modo que la gente no lo observaba necesariamente al principio, pero cuando me conocían me volvía más guapa. En la «vida real» yo era seria, educada y tranquila; pero una tranquilidad muy fuerte. Mi yo fantástico podía ser realmente divertido, el tipo de persona divertida con el que todo el mundo quiere estar. Tenía una lengua afilada. También era muy misteriosa. Me encantaba que hubiera partes de mi personalidad que la gente desconocía. Por ejemplo, en mis fantasías yo era una cantante buenísima. Podía cantar ópera, blues y jazz. Podía cantar como Bessie Smith, Billie Holiday y como Aretha Franklin. Sabía todo lo que había que saber sobre música. Había gente que venía de todo el mundo a preguntarme sobre música, y yo les contestaba amablemente.

También podía luchar muy bien. Era una boxeadora experta y tenía el último cinturón en artes marciales. Sabía utilizar la pistola y tenía una puntería increíble. Esto lo adopté de las películas de vaqueros como *Río Bravo*, que me encantaban. Me gustaban los animales y podía comunicarme con ellos. Podía hablar el lenguaje de los perros, de los gatos, de los pájaros y de los monos. Sabía que todos esos animales me necesitaban. Y, naturalmente, casi siempre había que salvarlos de un humano que los quería herir de alguna manera. Por supuesto, yo siempre lo conseguía.

En mi mundo podía predecir el tiempo. Sabía lo que pensaba la gente antes de que lo pensaran. Era poderosa. Era capaz de cuidar de mí misma y de cualquier persona que necesitara mi ayuda.

También creé una escuela en mi mente, y allí es donde ocurrían la mayor parte de las fantasías. Trabajaba en la escuela y la dirigía entre bastidores. Había otros profesores y estudiantes, cada uno con su nombre y su personalidad. Había aulas y reuniones en el salón de actos; de todo. Cada vez que un niño necesitaba ayuda, si estaba herido o hambriento, me lo remitían a mí. Yo los ayudaba, los curaba, los entretenía y los hacía felices.

A medida que mi edad avanzaba, las historias que creaba eran más elaboradas; mis poderes aumentaron. A veces me llamaban fuera del colegio porque me necesitaban en algún lugar del mundo. Si los campos de maíz de México se estaban quemando, me llamaban para que fuera allí. Yo volaba y apagaba el fuego. Montaba tiendas para la gente que estaba desplazada y organizaba los aviones para que lanzaran comida y agua. Reconstruía las ciudades arrasadas por el fuego y, después, me marchaba a mi nueva aventura. La gente no hacía más que decirme cuánto me quería y cuánto me apreciaba. Eso me hacía sentir muy bien.

Yo tomaba ideas de lugares que había visto en televisión o en los que había estado. Por ejemplo, el colegio tenía una gran escalera de caracol con ornamentadas tallas de querubines, igual a una que vi en cierta ocasión en una mansión que visité cuando realicé una excursión al campo. La madera era de arce y olía como si estuvieras en el campo. Los suelos eran de mármol reluciente, con vetas de color negro oscuro. Me podía imaginar el sonido de los pasos de los niños sobre el mármol. Había pinturas en el techo. Los frescos eran de Miguel Ángel, y eran cuerpos maravillosos y musculosos.

A veces memorizaba la estructura ósea de una de las figuras de los frescos del techo. En otras ocasiones me imaginaba cómo caminaban o corrían algunas personas de mi mundo. Me los imaginaba corriendo a cámara lenta. Veía sus cabellos ondeando con la brisa. Me imaginaba los mínimos detalles de sus expresiones.

Pasaba la mayor parte del tiempo en mi mundo de fantasía, aunque siempre podía volver a la realidad si mis obligaciones así lo requerían. Cuando terminé mis estudios de secundaria, y me trasladé y empecé a vivir por mi cuenta, cada vez fui más capaz de vivir en el mundo «real». Pero incluso ahora, cuanto tengo malos recuerdos de mi primo o de mi tío, me encuentro a mí misma convirtiéndome en Victoria, lanzándome en picado para recoger a un niño en el aire y ponerlo a salvo.

Mis pensamientos

Al igual que otras muchas niñas, tanto Margarita como Rosa se imaginaron formas de permanecer a salvo mientras sus abusadores las estaban violando. Saben que sus mundos de fantasía las salvaron. Ven a los personajes como sus salvadores. Saben que se salvaron a sí mismas; quizá no en cuerpo, pero sí en espíritu.

Como Margarita no se podía salvar de su primo o de su tío, salvaba a miles de niños y de pueblos. Como durante sus violaciones no podía decir nada, se imaginaba a sí misma cantando tan bien como una cantante de blues.

Como no se podía escapar, podía volar y recoger a los niños caídos. Gracias a Margarita aprendí que todas las niñas son superhéroes durante y después de sus abusos sexuales. Tú eres una superhéroe; te estás salvando a ti misma. Y te mereces un reconocimiento por superar estas situaciones lo mejor posible.

Como Rosa vivía en una sucia y destartalada caravana, era capaz de construir una casa en el bosque limpia y maravillosa. Ves, eso es lo que hacen las chicas. Encuentran lugares a los que ir, mundos que descubrir, plantas que catalogar, letras de canciones que recordar, problemas matemáticos que resolver y gente a la que salvar porque tienen muchos recursos; son fuertes y valientes.

No permitas que nadie te diga nunca que estabas loca por abandonar tu cuerpo. Tú sabes que te estabas cuidando a ti misma. No permitas que nadie te diga que esto es una negación. Es supervivencia. Cuando no estamos a salvo nos tenemos que crear nuestra propia seguridad. Margarita me contó que a veces, por la noche, le vuelven los recuerdos y no puede dormir. Cuando eso ocurre, se pone su traje de superhéroe y salva a un niño herido, y en poco tiempo ya está durmiendo y soñando dulcemente.

TERCERA PARTE

ABRIENDO LA CAJA DE PANDORA:
LAS CHICAS CUENTAN SUS HISTORIAS

CAPÍTULO 6

La herida más profunda

El incesto padre-hija

«La niña que había en mí murió el día en que él me penetró a la fuerza.»

Una superviviente de incesto, de dieciocho años

A medida que Coral hablaba, sus ojos estaban sin vida, su voz era monótona y parecía como si me estuviera contando una historia lejana que hubiera observado desde fuera en vez de la experiencia de haber sido víctima de abusos sexuales, desde los doce a los dieciocho años, a manos de su padre. Coral, con veintidós años, se sentó en mi despacho y me contó que, cuando tenía quince años, su padre la llevó a su estudio de arte —indepediente de la casa— antes de la cena, se bajó la cremallera de sus pantalones y empujó su cabeza hacia él. Después de que él llegara al clímax y eyaculara, Coral se lavó la cara, regresaron a casa y se sentaron a cenar con su madre. Lo que es tan escalofriante no es sólo el hecho de que el padre abusara de ella, sino que el abuso estaba perfectamente integrado en la vida familiar.

Coral es una de las numerosas y valientes mujeres que acudieron a mi consulta privada a través de una red clandestina de supervivientes de abusos sexuales. Lo que Coral sufrió durante un período de seis años fue incesto.

¿Qué es el incesto?

¿Qué es exactamente el incesto? El incesto es el contacto sexual forzado con un miembro de la familia *. Al igual que en todo abuso sexual, el incesto es una relación sexualizada entre dos personas, en la cual una de ellas tiene el poder de coaccionar y la otra no. Algunos comportamientos incestuosos incluyen tocamientos; otros, no. Puede ser una situación puntual o persistir muchos años. Ser forzada a participar de tocamientos o caricias genitales no deseadas, ser obligada a mirar las partes pudendas de un familiar o a enseñarle las tuyas, que te pidan que poses desnuda para fotos o ser penetrada; todos estos actos violan las fronteras entre un adulto y una niña, o un niño y un niña.

Un padre, un padrastro, un hermano, un hermanastro, un tío, un primo, un padre de acogida, o incluso una madre, todos ellos pueden perpetrar un incesto. Incluso una experiencia sexual con un amigo cercano de la familia puede tener algunos efectos iguales al incesto. Siempre que alguien en el que tú confías como si fuera un «familiar» te viola de esta manera, es incesto.

Una chica superviviente de incesto, de dieciséis años, describe su experiencia de esta manera: «Le veo cómo viene hacia mí y trato de pensar cómo escapar, pero no hay ningún lugar seguro; ya es muy tarde. Cuando llega a mí lo único que hago es tirarme al suelo, que ya no es lo suficientemente duro como para sostenerme.»

Si eres una víctima de incesto puede que hayas tenido la sensación de que estabas a punto de caerte y atravesar el suelo, y que tu mundo tampoco te podía sostener. Eso es lo que ocurre cuando alguien en quien confías, o de quien dependes, te viola sexualmente.

---

* Según el DRAE el incesto es la «relación carnal, entre parientes dentro de los grados que está prohibido el matrimonio», relación que puede o no ser forzada. Aceptamos, no obstante, la definición de la autora dentro del contexto temático de la obra. *(N. del T.)*

A pesar de que el incesto no es normalmente tan violento como otras violaciones sexuales, como la violación a manos de un desconocido o la violación en una cita, de todas las formas de abuso es la que crea la herida más profunda. Por supuesto, *puede* implicar también la fuerza, pero normalmente es algo que ocurre con tiempo y que implica mucha seducción, manipulación, chantaje y mentiras. Los padres especialmente, a menudo, se toman su tiempo para convencer a sus hijas de que el incesto es su destino. Manipulan a sus hijas para que crean que ya no tienen una oportunidad. Este argumento del «destino» es uno de los muchos mitos que rodean el incesto. Veamos algunos de los otros razonamientos.

Mitos y realidades sobre el incesto

MITO: «Necesito que tengas sexo conmigo porque tu madre no quiere.» Un mito famoso es que los hombres requieren sexo de sus hijas porque sus mujeres no «les dan nada». Algunos hombres llegan tan lejos como para decir: «A tu madre le gustaría que tú hicieras esto porque quiere que yo esté satisfecho y ella está demasiado enferma/ocupada para satisfacer mis necesidades sexuales.»

REALIDAD: En realidad, la información clínica que tenemos es que los hombres que abusan de sus hijas, normalmente, continúan teniendo sexo con sus esposas [1]. No hace falta decir, por supuesto, que independientemente de que sus mujeres «les den algo», o no, no tienen ningún derecho a abusar de sus hijas.

MITO: «Mi trabajo consiste en enseñarte cómo ser una buena amante.» A algunas chicas les dicen que es trabajo del padre enseñarles cómo ser una buena amante.

REALIDAD: No sólo no es trabajo del padre enseñarle a su hija cómo ser una buena amante, sino que en una relación padre-hija sana éste dudaría mucho y se sentiría un poco incómodo de hablar con su hija de cualquier tema que tuviera que ver con las relaciones sexuales. Normalmente, hay límites apropiados alrededor de estos temas.

MITO: Las hijas seducen a sus padres *o* «¡Es que estás tan tentadora (con esos pantalones cortos, con ese vestido) que *tengo* que tener sexo contigo!»

REALIDAD: Las hijas no sólo no seducen a sus padres, sino que necesitan que éstos las vean como «niñas pequeñas». Esto ayuda a la chica a desarrollar una confianza en los límites familiares y, por tanto, en el mundo. Cuando el padre no la sexualiza, ella se siente más segura y menos objeto. Lo último que una chica desea es seducir a su padre. Ésta es una distorsión aterradora.

MITO: Las jóvenes se sienten atraídas hacia los hombres maduros; ya sean sus padres, tíos, profesores o lo que quieras. Este mito es algo que Hollywood alimenta constantemente. Hay muchas películas que siguen mostrando a adolescentes que se enamoran de hombres de cuarenta años o más. Ayudados por la publicación de *Lolita,* de Vladimir Nabokov, en 1955 (que, por cierto, ha sido llevada al cine no sólo una vez, sino dos), en la que una pubescente seduce al patéticamente indeseable inquilino de su madre (sustituto de la figura del padre) con su sexualidad *naïf,* hemos mantenido el mito de que las chicas se sienten, a menudo, desesperadamente atraídas hacia los hombres maduros.

REALIDAD: Existe una gran diferencia entre cómo reconocer tus curvas incipientes y sentir el primer sonrojo de deseo sexual, e ir a la caza de hombres maduros. Y los hombres deberían ser lo suficientemente conscientes como para darse cuenta de estos detalles. El mito de que las chicas quieren sexo con su padre o con una figura paterna es, sencillamente, una mentira perpetuada a través del cine y la literatura, y de una sexualización cultural general de los niños. Dado que las chicas realmente quieren confiar y creer en los adultos que hay en sus vidas, es muy fácil para los hombres aprovecharse de su vulnerabilidad.

Azar Nafisi, en su libro *Reading Lolita in Tehran,* compara cómo el personaje de Lolita fue forzosamente sexualizado a cómo las mujeres iraníes están completamente subyugadas a los hombres. Claramente, el incesto es una forma de control patriarcal.

Coral

Coral vino a mi consulta cuando tenía poco más de veinte años. Ella tenía diez años cuando su padre empezó a ser sexualmente inapropiado con ella, once cuando empezó a abusar de ella y dieciocho cuando el abuso terminó, porque se fue de casa.

Desde el principio, su padre le dijo que ella le necesitaba —que era obvio por la forma en que ella se vestía y miraba—, que realmente *deseaba* que él la excitara sexualmente. Cuando Coral empezó a desarrollarse, él le dijo textualmente que tenerla bajo el mismo techo era como «poner un plato de espaguetis frente a un hombre hambriento. ¡Por supuesto que él iba a querer comérselos!»

Hace tres años, Coral y su novio supieron de mí a través de una amiga que estaba en mi red clandestina de supervivientes de incesto. Cuando me llamaron, Coral acababa de revelar el incesto a su madre, que iba a venir de Europa para visitarla.

El novio de Coral la acompañó a la primera sesión. Ella estaba atormentada por su pasado y tenía miedo de que nunca pudiera superar el incesto. Me explicó que su novio era la primera persona a la que se lo había contado; la segunda fue su madre, y la tercera, yo.

En esa primera sesión, supe que Coral tenía veintidós años y acababa de licenciarse en cine por la Universidad de Columbia. Me dijo que tanto ella como su novio habían colaborado en un corto que acababa de ganar varios premios. También que, por esa época, tenía problemas para disfrutar de cualquier proyecto porque estaba atormentada por su padre. Éste ahora tenía sida y estaba horrorizada de que estuviese también contagiada, aunque se había hecho la prueba y ésta había dado negativa.

Mientras estaba sentada en mi despacho toqueteándose las uñas y mirando al suelo, Coral recitó sus ansiedades: «Estoy teniendo pesadillas y estos horribles dolores de cabeza. Mientras duermo me toco las uñas, y me rasco, y me rechinan los dientes. Me levanto con sudores fríos y tengo miedo de enfrentarme a mi madre, que viene la semana que viene. Ella es una persona totalmente dependiente y un desastre. Yo no puedo soportar que nadie me toque. Estoy irascible por todo. A la mínima, lloro.»

Incluso antes de que me confesara que se sentía como si estuviera trastornada, le expliqué que, fuera lo que fuese lo que le hubiese ocurrido, no era culpa suya. Se lo tuve que repetir al menos cinco veces. Al principio, Coral se quedó impasible; después, finalmente, se derrumbó y empezó a sollozar.

Ahora, tres años después de que Coral oyera esas palabras —«No es culpa tuya»—, quiere que cualquier chica que haya sobrevivido al incesto sepa que «tampoco es culpa tuya.»

Historia de Coral
Gatos en el patio

Mi padre robó mi adolescencia. Empezó en Italia, cuando tenía diez años, pero la primera vez que me violó fue después de que nos trasladáramos a Holanda, cuando tenía doce. Desde los once a los dieciocho años mi padre abusó sexualmente de mí de forma regular: me forzaba a realizar sexo oral, a recibirlo y a tener sexo con él siempre que me lo mandara. Mi padre es un artista. Es egocéntrico y tiene una gran manía persecutoria, pero ha cultivado una imagen pública de ser muy inteligente, sabio y tranquilo. Él siempre tenía alguna teoría extraña, pero era un artista; por eso la gente aceptaba que era un poco raro. Había un aura a su alrededor, como si fuera un monje zen o algo por el estilo. En casa no podía mantener su personaje. Allí era menos cauteloso y se sentía con derecho a ser temperamental, controlador y beligerante. Él, básicamente, gobernaba nuestra casa. Sus pensamientos eran los correctos, y mi madre y yo teníamos que estar pendientes de su humor y de sus deseos. Expresaba sus opiniones con mucha vehemencia, de modo que si no estabas de acuerdo con él sentías que había algo en ti que era inferior. Él nos decía qué música clásica teníamos que poner y cosas por el estilo, y no había lugar a la discusión. Era lo que él decía.

Mi madre se ocupaba de la carrera artística de mi padre. Atendía todos sus caprichos. Se ocupaba de la casa, cocinaba para nosotros, me levantaba por las mañanas y me acostaba. Recuerdo que me daba mucho cariño y que su amor era divertido. Al contrario que mi padre, ella nunca me agobiaba diciéndome qué hacer y qué no, y jugaba mucho conmigo.

Tengo multitud de borrones en la memoria de mi niñez. De lo que he logrado recomponer con la ayuda de la terapia, sé que cuando era pequeña mi padre nunca jugaba conmigo, aunque podía ser divertido. A veces bromeaba conmigo y siempre me animaba a que dibujara. Pero la verdad es que, de pequeña, pasaba mucho tiempo sola. Recuerdo un verano, cuando tenía más o menos seis años, en que mis padres pusieron la llave de casa en una cuerda y me la colgaron al cuello. Tenía que entretenerme durante todo el día y volver a casa al anochecer.

Me ha llevado muchos años de terapia darme cuenta que mi madre tenía mucho miedo a la vida. Lo que pensaba que iba a encontrar en mi padre era un sistema de apoyo; con él no tenía que pensar por sí misma. Para mí, estaba muy claro que a mi madre le importaba más mi padre que yo. Ella se apresuraba a tenerle la cena preparada en la mesa cada noche, aunque él le dijera que no tenía que cocinar si no quería. Ella sabía que si la cena no estaba en la mesa cuando él lo esperaba, no pararía de decir que tenía mucha hambre y que, en cualquier caso, él era mejor cocinero y todo eso. Yo aprendí pronto que lo que decía no era siempre lo que quería decir. Puede que hubiera dicho que no teníamos que hacer algo, pero en realidad no había otra alternativa.

Yo observaba todo esto de cerca y aprendí que la regla de nuestra casa era no alterar a papá. Tenía un carácter explosivo y, a veces, se ponía histérico o se ponía a gritar y a romper cosas. Mi padre era un maestro manipulando la realidad. Mientras hiciéramos lo que él quería, todo en casa iría bien.

Cuando era niña, mi padre se iba durante varios meses para promocionar sus obras en otros países, y mi madre y yo estrechábamos nuestros lazos. Yo dormía con ella en su cama, lo cual era una maravilla. Cuando me metía en su cama me sentía segura y protegida. Jugábamos y comíamos cuando queríamos, viajábamos dónde y cuándo queríamos; sencillamente, nos relajábamos.

Éstos también fueron los años en que mis padres me dejaban pasar los veranos en casa de mi abuela paterna. Recuerdo esos veranos como divertidos y alegres. Mi abuela vivía en el campo, y yo jugaba con mis primos y con los animales. A medida que fui creciendo dejé de ir allí los veranos. No sé por qué.

Llegó un momento en que empezó a ser mi madre la que viajaba mucho. Se iba durante un día, o a veces una semana, para promocionar la obra de mi padre. Realmente, no recuerdo que durmiera en la cama de matrimonio con mi padre (éste es uno de mis lapsos de memoria), pero creo que se daba por hecho que cuando mamá se iba de viaje yo dormiría con papá, al igual que hacía cuando él estaba fuera.

Cuando tenía diez años, mi padre empezó a mantenerme sujeta sólo un poco más de lo normal cuando me abrazaba. No tengo ningún recuerdo claro de ser sexualizada cuando tenía dicha edad, pero sin duda las cosas se pondrían un poco incómodas. Recuerdo que solía hacer que me sentara en su regazo muchas veces. La primera vez que abusó sexualmente de mí tenía once años; al menos ésa es la que recuerdo más claramente. Todavía vivíamos en Italia. Recuerdo que estaba observando el jardín, apoyada en el alféizar de la ventana, cuando él vino por detrás y me tocó los pechos metiendo la mano por debajo de la camisa. Yo llevaba unos pantalones blancos de verano y un pequeño top rojo —que me encantaba— con unos lacitos a los lados, y unos zapatitos blancos con puntos negros; incluso recuerdo la ropa interior que llevaba. Mis pechos estaban empezando a crecer y me sentía muy bien con mi bonito conjunto.

Como me encantan los animales, me gustaba observar a los gatos jugando en el jardín. Mientras contemplaba a los gatos, mi padre me besó con lengua. Mis piernas empezaron a temblar. Yo tenía que ir a clase de piano, pero él me llevó a su cama y me practicó sexo oral. Recuerdo que estaba temblando y que sólo me concentraba en una idea: «Pronto estaré en mi clase de piano.» No recuerdo exactamente qué me decía, pero sé que él estaba explicándome que lo que estaba haciendo me iba a hacer sentir muy bien. Yo creo que no le dije nada.

En el trayecto a clase de piano temblé durante todo el recorrido y cuando llegué no pude tocar de lo nerviosa que estaba. Creo que no me hizo nada más durante un tiempo después de eso, aunque puede que intentara iniciar algo más veces ese año, porque recuerdo que se quejaba de que siempre estaba fuera con mi madre y de que no le daba la oportunidad de estar a solas conmigo.

Me violó por primera vez cuando tenía doce años. Entonces vivíamos en Holanda. Mis recuerdos sobre ello son como una filmación a cámara rápida. Me empezó a besar y yo luché; le dije que no quería hacer eso, que era virgen y que lo quería seguir siéndolo. Pero él siguió diciendo que era lo que necesitaba hacer. Se enfadó. Me gritó: «¡Ya está bien!» Entonces se levantó, me empujó y me dijo: «Desnúdate y vete a la cama, ¡ahora!» Yo me metí en el baño y estuve un rato; después, me puse el pijama y me metí en mi cama. Él vino y me llevó a su cama; después, él también se acostó. Yo llevaba puesta mi ropa interior, calcetines y tres camisetas debajo del pijama; él estaba desnudo. Yo no hacía más que apartarme de él y ponerme en mi lado de la cama. No recuerdo de cómo una cosa llevó a la otra, pero llegó un momento en que me quitó la ropa, se puso un condón y empezó a violarme. Yo gritaba y él me tapó la boca. En ese momento, yo estaba presente (todavía no me había enseñado a mí misma a abandonar mi cuerpo) y sentía un dolor horroroso. Después, me tomaba el pelo y se reía de mí; me preguntaba que por qué estaba montando tanto jaleo.

No hacía mucho tiempo que estábamos en Holanda y yo lo estaba pasando bastante mal. No hablaba inglés ni holandés; no tenía allí familia ni amigos; mi madre viajaba constantemente para ayudarle a forjar su carrera; no tenía protección ni recursos. Mi padre podía ser muy persuasivo. Decía que tener sexo conmigo era lo normal y me citaba todos esos ejemplos de animales a los que los padres los inician en el sexo. Me murmuraba sobre los rituales y la entrada en la adolescencia. Decía que en la religión judía hay una ceremonia, el Bat Mitzvah, para celebrar el paso de niña a mujer, y que él quería iniciarme como mujer teniendo sexo conmigo.

Así empezó la invasión de mi padre con mi cuerpo y con mi alma. En cuanto tenía ocasión, tenía sexo conmigo y/o me forzaba a tener sexo oral. Como mi vida en casa era un auténtico infierno, me construí otro mundo elaborado, un mundo de fantasía, y tenía un acceso fácil a él. Este mundo tenía personajes elaborados con historias complicadas, en la mayoría de las cuales yo era la heroína que salvaba a los huérfanos de los que habían abusado. En ese otro mundo yo siempre era fuerte e invencible. Aunque no estoy completamente segura de si era capaz de entrar en mi mundo de fantasía cuando estaba abusando de mí, sé que me consolaba mucho pensar que podía trasladarme a ese mundo en cualquier momento. Parece como si estuviera siempre en ese mundo cuando estaba en casa.

Cuando le pregunté que por qué me estaba haciendo eso, me dijo: «Es como poner un plato de espaguetis frente a un hombre hambriento y esperar que éste no se lo coma.» Me llevó mucho tiempo darme cuenta de lo que me había afectado esa frase. Debe haber sido mi culpa; al fin y al cabo, yo era el espagueti. Debe haber sido culpa mía que haya empezado a desarrollarme y llamar más la atención de los hombres.

También me dijo algo que realmente me afectó: que las madres lo saben pero que no lo hablan con sus hijas. Él me convenció de que mi madre lo sabía y de que no le importaba. Cuando mi madre se iba a hacer sus viajes y me decía: «Cuida de papá», yo empecé a dar por hecho que esto era una especie de código secreto y que realmente sabía lo que estaba pasando. Todo era de locos y malsano.

Hice algunos amigos —los chicos que podrías llamar marginados— y adopté la cultura punky. Me identificaba con las airadas ideas que grupos como los Sex Pistols expresaban a través de la música. Siempre estaba peleando con los profesores, siempre estaba metida en problemas. Pero cuando llegaba a casa tenía que soportar las demandas sexuales de mi padre, y allí estaba yo, esta niñita pasiva, esperando simplemente que él acabara.

La única vez que me negué a acceder a sus deseos, mi madre se había ido de viaje durante cinco días. Creo que tenía por aquel entonces catorce años. Le grité: «¡No! ¡No lo haré! ¡Aléjate de mí!», y me encerré en mi habitación y eché el pestillo. Pero como la puerta tenía cerradura, mi padre, evidentemente, me encerró en mi habitación y me dijo que estaría allí sin comida ni agua hasta que entrara en razón. Me quedé en mi cuarto al menos un día y medio, hasta que sentí que me iba a desmayar y que tenía que comer o beber algo. Así que me rendí y le pedí que me dejara salir.

Antes siquiera de que pudiera comer o ducharme, me violó. Después de esa experiencia de quedarme encerrada en la habitación, me imaginé que lo más fácil sería dejar que ocurriera y que cuando terminara podía seguir con mis asuntos. Aprendí a abandonar mi cuerpo y a trasladarme a otro lugar durante las violaciones. Mi cuerpo no respondía ni obtenía placer. Durante un tiempo, siempre esperaba que ésa fuera la última vez. Por lo que puedo reconstruir ahora, lo estaba haciendo bastante bien para proteger mi mente de lo que ocurría; es como si estuviera disociando el incesto de mi vida sensible. Salía con mi madre siempre que podía e intentaba no estar nunca a solas con mi padre.

A veces, mi padre me hablaba durante la violación. Sin embargo, su voz era como un zumbido de fondo. Por otra parte, recuerdo que me decía que era muy buen amante y que tenía suerte de tenerlo a él. Pero yo estaba siempre aturdida. A veces no decía nada; sin embargo, en otras me decía que no lo tenía que hacer si no quería; pero la vez que le pedí que no lo hiciera, se puso frío y se enfadó, y cuando mi madre volvió a casa se inventó unas mentiras sobre mi mal comportamiento y no paró de fastidiarnos. Para mí estaba claro que lo mejor que podía hacer era lo que él me pedía. Las pocas veces en que no me forzó, se desquitó con mi madre y conmigo haciéndose más controlador aún.

Cuando tenía dieciséis años me animó a que tuviera un novio y, efectivamente, lo tuve. Su nombre era James. No teníamos relaciones sexuales, sólo nos besábamos. Mi padre me animaba a que le hablara de James. Yo le daba una información mínima, pero él seguía insistiendo. Una tarde, después de violarme, mi padre me dijo: «Sal con James y diviértete.» Sin que yo me diera cuenta, mi padre me había hecho un chupetón enorme; por supuesto, cuando me encontré con James él lo observó en seguida. Me preguntó que cómo me lo había hecho, pero yo no se lo dije, así que cortó conmigo. Mi padre siempre tenía formas como ésta de atraparme.

Lo que me llena de rabia ahora es darme cuenta de lo mucho que él sabía y lo poco que sabía yo, y de todo lo que le estaba dando mientras que él no se preocupaba de mí como ser humano. Ésa es la mayor afrenta al espíritu humano.

Solía pensar que mi madre no tenía la culpa. Después de todo, yo nunca le dije nada sobre el abuso. Pero un recuerdo que me vino durante la terapia cambió mi visión de ella.

Cuando tenía cerca de catorce años, mi padre necesitaba una foto de él para la portada de una revista y decidió hacerme posar desnuda delante de él. Él estaba todo vestido de negro, con los ojos cerrados. Él hizo que mi madre hiciera la foto. Mi cara estaba difuminada, pero mi cuerpo era totalmente visible. La idea era que el artista puede resistir la tentación de la mujer desnuda. Por medio de la terapia, me he dado cuenta de que mi madre, realmente, era cómplice.

La terapia me ha ayudado a darme cuenta de que no tenía opciones durante mi niñez y mi adolescencia, y de que el incesto no fue culpa mía. Ahora comprendo que mi madre fue débil y que no me protegió. También que en casa no se permitía el pudor. Mis padres caminaban por la casa desnudos y esperaban que hiciera lo mismo. Se reían de mí si expresaba el deseo de comportarme con pudor. Yo lo hacía de todas formas. El baño ni siquiera tenía puerta. Cuando tuve doce años y dije que quería la parte de arriba del biquini, mi madre se burló de mí y me dijo que en la playa también tenía que hacer *topless*.

Cuando tuve dieciocho años y me trasladé a Nueva York para estudiar en la universidad, me sentía como una inmigrante de principios del siglo XX, en el que todo el mundo llegaba aquí de lugares arrasados por la guerra o por la pobreza. Por fin había dejado mi campo de batalla particular. Los dos primeros años fueron especialmente difíciles. Me pasaba mucho tiempo adormilada o flotando, y recitaba el credo de mi padre sobre arte, música y política. Su influencia era enorme e ineludible.

A pesar de que llevo libre de mis progenitores desde hace ya unos años, a veces todavía oigo la voz de mi padre dentro de mi cabeza, controlándome. A medida que transcurren los años, su voz cada vez es más tenue. Mi terapeuta me dice que llegará un día en que será tan tenue que casi no la oiré.

Ahora que tengo algo más de perspectiva ha hecho que empiece a perdonarme. Pero, a veces, todavía me siento deprimida. Durante mi adolescencia desarrollé muchos dolores de cabeza y náuseas frecuentes, que todavía sigo padeciendo. Algunos días me siento inútil. Pero ahora me doy cuenta de que, como niña y como adolescente, hice lo más correcto para mantenerme viva. Mi madre era pasiva y le tenía miedo al mundo. Mi padre definía todos sus movimientos. La moldeó a ella y también trató de moldearme a mí. Pero conmigo no tuvo éxito.

Me ha llevado un tiempo, pero he empezado a ver las cosas con mis propios ojos. He empezado a escuchar mi propia voz. Hace tres años cambié mi apellido para no tener que seguir compartiéndolo con mi padre. Nunca volveré a Holanda y nunca volveré a la vida que tenía. Tengo oportunidades y libertades, y acepto el incesto que sufrí como algo que ocurrió, pero ya no define lo que soy.

Mientras estaba sufriendo los abusos, pensaba que era la única. Mi padre controlaba todo en casa; decía siempre que lo que me estaba ocurriendo era normal y que debía complacerle. Aunque algunas veces tengo que mirar atrás, estoy avanzando hacia delante. Y aunque me resulta doloroso afrontar la complacencia de mi madre, el hecho de hacerlo me ha ayudado a entender que no fue culpa mía. Si en esos momentos hubiera podido leer algo sobre abusos sexuales, si la gente hubiera hablado abiertamente sobre ello, me habría salvado de muchos años de culpa, vergüenza y secretismo. Cada vez que hablo sobre mi incesto, me libero de esa vergüenza y esa culpa. Cada persona con la que lo comparto, independientemente de su reacción, se lleva otro trocito de mi dolor. Si mi historia te ha llegado, estaré eternamente agradecida.

Mis pensamientos

Incluso después de que Coral dejara su casa, su padre seguía teniendo poder sobre ella. Ya en Nueva York, durante tres años estuvo trabajando para él representando su obra en las galerías de Manhattan y traduciendo sus historias al inglés. Cuando él le envió una versión pornográfica de *Caperucita roja*, fue cuando reaccionó. Le llamó para decirle que no traduciría esa historia, y le dijo: «¡Creo que sabrás por qué!» Después, empezó a llorar y a gritar sin parar por teléfono: «¿Por qué me hiciste daño? ¿Por qué me hiciste daño?» Por supuesto, él no respondió. Colgaron el teléfono.

Unos minutos después, la madre de Coral la llamó preguntándole por qué no quería ayudar a su padre. Fue entonces cuando le contó a su madre lo del incesto y le dijo que abandonara esa casa. La madre estaba dispuesta a marcharse, y así lo hizo. Eso fue hace tres años; desde entonces, Coral no ha hablado con su padre. Ella nunca se enfrentó a él directamente sobre el incesto.

A través de la terapia, Coral empezó a entender que tanto ella como su madre estaban controladas por su padre.

Empezó a entender la callada complicidad de su madre en el tema del incesto, y ahora entiende su verdadero lugar y función en la familia. Ella era el chivo expiatorio, el objeto sexual de su padre. Y ella cumplió una importante función para su madre, sirviendo a su padre en todas sus necesidades cuando ésta no estaba allí para hacerlo. (Es importante destacar que durante los años del incesto su padre nunca dejó de tener sexo con su mujer o con prostitutas, de las que contrajo el sida.)

Después de que Coral revelara su abuso sexual a su madre, ella admitió que su matrimonio se había desintegrado y que su padre estaba teniendo sexo con jóvenes prostitutas regularmente. Fue entonces cuando le dijo que su padre tenía sida. Incluso admitió que había continuado teniendo sexo con su marido después de *saber* que tenía sida.

La madre de Coral creció en una familia sin padre y con una madre emocionalmente controladora. La madre de Coral nunca comprendió la situación de su propia casa, ni buscó ningún tipo de asistencia psicológica. Cuando tenía veinte años se casó con el primer hombre que se lo pidió, simplemente para salir de casa de su madre.

Cuando Coral le preguntó a su madre qué habría hecho si cuando era pequeña le hubiera contado el incesto, ella le respondió: «Realmente no lo sé. No te puedo decir con seguridad que lo hubiera abandonado.»

La madre de Coral afirma que la ama, y yo creo que sí lo hace; todo lo que ella puede amar a alguien. Pero este amor tiene muchas limitaciones. Ella nunca fue capaz de cuidar de su hija. A Coral la dejaron sola siendo ella muy joven y su madre fue una auténtica cómplice del incesto. No hizo nada para proteger a su hija. Dejaba a Coral con su padre durante semanas, aunque ésta le rogaba que no se fuera sin ella. Ella nunca le dijo a Coral que tenía otras alternativas.

Coral ha descrito muchas situaciones en las que su madre falló en impedir que su padre ejercitara diversas formas de control y abuso. Como cuenta ella misma, cuando tenía unos doce años y se estaba probando unos bañadores, su madre llamó a su progenitor para que viera sus trajes de baño y él empezó a reírse, y dijo: «¡Tiene que hacer *topless* en la playa!» Así que su madre le retiró a Coral las partes de arriba de los biquines.

Nunca celebraban las fiestas de Coral en casa. Una vez que los amigos trajeron una tarta de cumpleaños para Coral, su padre las ridiculizó, tanto a ella como a su madre, por participar en un ritual tan divertido. La madre de Coral le dijo que no podía volver a tener una tarta de cumpleaños.

Y después llegó el día de la graduación del colegio. Ella tenía muchas ganas de ir, pero el padre se lo prohibió y su madre le apoyó. Pero como Coral no recibiría su título si no asistía a la ceremonia, al final fue; por supuesto, era la única graduada que estaba allí sin ningún miembro de la familia.

A través de la historia de Coral entendemos cómo una adolescente tan fuerte y decidida puede, en cambio, ser víctima de un hombre muy fuerte y muy enfermo. El relato de Coral nos ayuda a entender cómo una chica puede permanecer en una relación incestuosa. Coral no sabía que tenía una oportunidad. Vivía en un mundo donde el mundo de su padre era *el* mundo. Lo soportó aprendiendo a anular el cuerpo, de modo que casi no sentía el sexo.

El lugar especial que Coral creó en su mente, con sus personajes elaborados interpretando papeles intrincados, la salvó. Hizo que fueran tan reales que la ayudaron a atravesar la realidad paralela de ser forzada a ser la «amante» de su padre durante seis años. También, como pasó muchos veranos de su niñez en casa de su abuela paterna con sus primos, tenía una sensación de ser querida. A veces, el hecho de que el amor de una persona llegue a una chica puede ayudarla a salir adelante en su trauma. Las chicas encuentran muchas maneras de sobrevivir al incesto. Unas abandonan sus cuerpos, otras catalogan plantas en su mente y algunas, incluso, desarrollan una personalidad completamente distinta durante el abuso sexual. Éstas son todas estrategias de supervivencia.

Coral sigue saliendo con el mismo chico. Ahora viven juntos. Llevan cinco años y, por primera vez en su vida, Coral es capaz de disfrutar del sexo como una parte normal de una relación romántica, como una expresión de amor. Pero todavía le cuesta mucho confiar en su novio y defenderse a sí misma en la relación. Como tanto ella como su novio son artistas, hay algunas tensiones, y Coral todavía lucha para identificar su sensibilidad artística pura y cribar la influencia de su padre.

También trabaja en películas que tienen que ver con jóvenes. En los guiones siempre da papeles importantes a las chicas. Está comprometida en llegar a las jóvenes y ayudarles a que cuenten sus verdades. Espera que su propia verdad haya causado algún efecto en ti y que te ayude a triunfar.

Cuando era joven y su padre no estaba abusando de ella, salía con otros chicos y se enroló en el mundo de la música y del arte. Rubí, otra superviviente de incesto, cuando terminó el abuso sexual cayó en comportamientos muy destructivos. Empezó a fumar marihuana frenéticamente, se hacía cortes en los brazos y se aislaba de sus amigos. Rubí pensaba que esta conducta la ayudaría a olvidar los abusos de su padre, y casi lo consiguió; hasta que su progenitor empezó a abusar de su hermana.

Rubí

Rubí vino a visitarme cuando contaba diecinueve años. Tenía problemas para dormir porque tenía miedo de que su padre, que había abusado sexualmente de ella durante un tiempo muchos años antes, estuviera abusando ahora de su hermana pequeña. La experiencia de su propio abuso estaba volviendo a obsesionarla.

Había pasado los primeros años de su adolescencia autolesionándose, y sus padres y sus profesores nunca lo supieron. Con dieciséis años, tenía un problema bastante serio de drogas y alcohol. Había tenido unas cuantas relaciones frustradas y ataques de depresión seria, pues siempre había sentido la sombra del abuso de su padre. Cuando conocí a Rubí había empezado a asentarse. Estaba dando clases de arte a niños e iba a la universidad. Se esforzaba mucho en sus estudios y en las clases que daba, que le encantaban. Pero cuando empezó a sospechar que su padre estaba abusando de su hermana, ella se enfrentó a él; pero éste lo negó: negó que abusara de su hermana y que hubiera abusado de Rubí. Le dijo que se estaba imaginando todo y que necesitaba ayuda.

Vino a la terapia para intentar qué hacer por su hermana pequeña. ¿Por qué no acudió a su madre? Porque no confiaba en ella y tenía miedo de que la rechazara para siempre. De hecho, cuando escribió esta historia ya se lo había dicho a su madre y se había enfrentado a su padre, y ambos la habían traicionado.

Historia de Rubí

Mi lunar de preocupaciones

Crecí en el lado noroeste de Manhattan. Desde fuera, mi familia parecía muy respetable. Mi madre es directora de orientación psicológica en un colegio de secundaria y mi padre es abogado. Somos judíos y, cuando era pequeña, íbamos al templo todos los viernes por la noche. Parecíamos una familia perfecta: unida y conectada. Pero de puertas adentro, casi no hablábamos.

En mi familia somos dos hermanas; yo soy la mayor y la pequeña tiene siete años menos. Justo antes de la adolescencia, cuando mi hermana era muy pequeña, mi padre empezó a abusar de mí y continuó haciéndolo durante años. Ya en la adolescencia, me deprimí mucho y empecé a autolesionarme. Nadie sabía por qué; y realmente a nadie parecía interesarle. Las pocas veces que mi madre se dio cuenta de mi depresión, simplemente se la quitó de encima, y decía: «Ah, sea lo que fuere lo que te está pasando, ya pasará. Las adolescentes siempre están agobiadas.» Y durante un par de años mi padre y yo habíamos estado actuando como si nada sexual hubiera ocurrido nunca entre nosotros. Pensé que podía olvidarme de ello y continuar.

Mi padre abusó sexualmente de mí, por primera vez, cuando tenía más o menos nueve años. Recuerdo la primera vez que ocurrió. Estábamos viendo un combate de boxeo por televisión. Mi padre y yo estábamos sentados en un sillón. La chimenea sobresalía del muro y había un espacio entre ésta y el muro. Él desplazó el sillón más cerca de la televisión, hacia aquel nicho en la pared.

Mi padre me puso la mano por la parte de arriba de mis pantalones vaqueros, y pensé: «Esto es un poco raro.» Después empezó a tocarme. Me metió la mano por debajo de mis braguitas. Yo le retiré la mano, pero él puso mi mano debajo de su trasero y se sentó sobre ella. Yo hacía como si no pasara nada, como si estuviera viendo el combate de boxeo. ¿Sabes? Mi padre siempre me ha dedicado mucha atención. Me llevaba de excursión, me ayudaba con los deberes y cosas por el estilo. Mi madre casi siempre estaba fuera y nunca me prestó mucha atención o me mostró afecto. Mi padre estaba en silencio. Me estaba metiendo los dedos dentro y alrededor de la vagina; realmente me dolía. Recuerdo eso: sentir dolor físico y ver el combate de boxeo. (No hace falta que diga que ahora no puedo ver el boxeo. Si al cambiar los canales de la televisión lo veo por unos segundos, tengo que ir al baño y vomito.)

Resulta difícil explicar cómo le dejé que me hiciera eso. Sin duda, es de locos tener a tu padre metiéndote mano por debajo de tus bragas, y yo también me sorprendo a mí misma que no hiciera nada, pero había esta extraña combinación de confianza, miedo, vergüenza y terror con la que no quería enfrentarme; así que, en realidad, hice como si no estuviera ocurriendo.

Después de ese incidente, mi padre volvió a ser muy simpático conmigo. Durante más o menos dos semanas, todo fue normal e intenté hacer como si nunca hubiera ocurrido. Después, una noche, mi padre vino a mi habitación. Yo dormía en la litera de arriba y él me pidió que bajara. Le dije que no, que estaba cansada, y él empezó a subir la escalera. Yo había intentado engañarme a mí misma con que había olvidado todo sobre el anterior incidente; pero no lo había hecho, por supuesto. Un extraño sentimiento me recorrió el cuerpo y di un empujón a la escalera. Él se cayó de espaldas. Cuando se puso de pie, me dijo con una mueca morbosa: «¿Qué pasa, Rubí? Papá sólo te quiere dar un beso de buenas noches.»

Yo tenía mucho miedo. Él me dijo que era la princesa de papá y que nunca me haría daño. Me pidió que le hiciera feliz. Después, subió a mi cama y empezó a tocarme. Me dijo que era algo normal y que ya era hora que aprendiera acerca de los hombres; que él me enseñaría todo lo que necesitaba saber. Yo me sentí muy rara durante un minuto; después, bloqueé el sentimiento y empecé a recitar mentalmente juegos de palmas de niños: *Soy el chino capuchino mandarín, rin, rin, / de la era, de la era de Japón, pon, pon, / mi coleta de tamaño natural, ral, ral, / y con ella me divierto sin cesar, sar, sar. / Al pasar por un cafetín, tin, tin, / una china me tiró del coletín, tin, tin. / Oye china, que no quiero discutir, tir, tir, / soy el chino capuchino mandarín, rin, rin.* Y despúes ya se había ido. Me subí las braguitas y me dormí.

Mi madre estaba metida en un montón de comités educativos en el colegio en el que trabajaba, y muchas tardes mi padre se quedaba en casa y se ocupaba de nosotras. Aquéllas fueron las noches en las que terminé en la cama de matrimonio. Es tan raro... Todavía no sé cómo llegué allí. Es como si estuviera en una neblina. Él se reía con esa mueca morbosa y me llamaba, y lo siguiente que recuerdo es que me estaba atando las muñecas a los barrotes de la cama de mis padres con esa bufanda de color morado claro. Era una de esas baratas de una tienda de todo a un euro. (Sé que esa bufanda todavía sigue en casa.) Y siempre me ponía una almohada sobre la cabeza. No quería verme, ni que le viera.

Me acuerdo de la primera vez en que me ató. De repente, su boca estaba allí. Recuerdo pensar: «Esto parece un poco raro», pero quería pensar que me había llegado agua ahí abajo. Estaba llegando a la pubertad. ¿Yo qué sabía? Al principio pensé: «No pasa nada, no pasa nada.» Pero después me di cuenta de lo asqueroso que era e intentaba desesperadamente concentrarme en otra cosa. Por supuesto, era siempre muy difícil concentrarme en algo con esa almohada encima de la cara; era mejor cuando no tenía la cara tapada. Intentaba imaginarme que estaba flotando en la niebla, viendo maravillosos colores.

También abusó de mí en otras partes de la casa y en el coche; casi siempre me ponía de espaldas. Eso hacía que fuera más fácil. Así me podía concentrar en la ventana del coche o en la televisión.

Un día, estábamos en su habitación y me había atado con la bufanda morada —tenía la almohada sobre mi cara— cuando sentí una gota densa en mi pecho. Era viscosa y pesada, y yo pensaba: «¡Ay, Dios mío!» Y empecé a moverme hasta que retiré la almohada de mi cara. Entonces vi el pene erecto de mi padre en mi pecho. Era enorme y horrible.

Una gota de su semen había caído en un pequeño lunar de mi pecho. Yo me asusté y empecé a gritar, pero él no paró. Puso de nuevo la almohada sobre mi cara y siguió abusando de mí.

Tras esa noche empecé a rascarme ese lunar obsesivamente para tratar de limpiarme a mí mima. A veces me lo rascaba hasta que sangraba y tenía que ponerme una tirita. Incluso ahora, el lunar parece permanentemente rojo y magullado. Siempre que estoy nerviosa, o que tengo miedo de algo, sigo rascándome ese pequeño lunar en el pecho. Lo llamo el lunar de mis preocupaciones.

Yo intenté hablar con mi madre mientras todo esto ocurría. Le rogaba que me llevara con ella a las reuniones por la noche. Pero ella decía que contaba conmigo para ayudar a mi padre a cuidar de mi hermanita. Le dije: «Papá me dice que guarde unos secretos», y comenté si se los podía contar; pero ella dijo: «Si son secretos, es mejor que no lo hagas. Tú sabes que eres la princesa de papá.»

Me sentía tan aislada… Quiero decir que mi madre era muy buena conmigo y todo eso; de hecho, era lo suficientemente buena para que yo pensara que me quería. No me gritaba mucho, íbamos juntas al templo y me hacía la comida para el colegio. Sin embargo, nunca sentí que mi madre me escuchara realmente, y muy pronto aprendí que la mejor manera para que mi familia me aceptara era no agitar mucho las cosas. Yo era una chica buena y sumisa, y siempre quería estar cerca de ella, pero tenía miedo de que, si lo intentaba, ella me rechazara.

Desde los diez a los catorce años continuaron los abusos. Yo era una buena chica y hacía mis deberes, jugaba con mis amigas y quería mucho a mis gatos. Recuerdo el consuelo que me daban mis gatos, y me encantaba acurrucarme con ellos y hablarles. Pasara lo que pasara, ellos siempre me aceptaban. Yo intentaba pasarlo bien entre un abuso y otro.

Más tarde, cuando cumplí catorce años, ocurrió algo extraño: mi padre perdió interés en mí. Mis senos empezaron a crecer, me llegó el período y, de repente, dejó de venir a mi lado. Ese año me pareció como unas vacaciones, pero siempre tenía miedo de que empezara otra vez. Me puse muy ansiosa y deprimida, y empecé a fumar cigarrillos y marihuana. Mi madre no se enteraba de nada y empecé a ir realmente mal en el colegio.

Cuando tuve quince años, finalmente me enfrenté a mi padre. Le dije que estaba descolocada y que necesitaba hablar sobre el abuso sexual. «¿Abuso? ¿Quién ha abusado de ti?» Yo estaba alucinada. Le dije: «¡Tú!» Y él me contestó: «Oh, Rubí, no se te ocurra destruir esta familia. Todo el mundo sabe la imaginación que tienes. ¿A quién crees que van a creer? ¿A ti o a mí? Además, sé que has estado fumando marihuana. Te puedo denunciar.» ¡Me amenazó en serio con denunciarme a la policía!

Fue entonces cuando empecé a hacerme cortes en los brazos. Cuando me cortaba era yo la que llevaba el control. Era como si pensara: «*Me hago daño yo,* nadie más me puede hacer daño.» El problema era que no sentía nada, no me dolía; sólo había sangre. Pero el hecho de ver la sangre me hacía sentir un extraño consuelo. Era una prueba tangible de que estaba viva; me imagino que necesitaba sentir eso.

Con mi madre era todo muy extraño. Allí estaba ella, una supereminencia en la comunidad. Tenía muchos amigos y siempre estaba ayudando a las chicas de secundaria a afrontar los abortos, los problemas familiares y todas esas historias. Incluso se enfrentó a mi padre en algunas cuestiones. Por ejemplo, ella mantenía sus creencias políticas democráticas y mi padre era un republicano recalcitrante. Pero nada de lo que yo hice llamó nunca la atención de mi madre. Siempre parecía no ser consciente de lo que estaba ocurriendo entre mi padre y yo. Ni siquiera se dio cuenta cuando empecé a hacerme cortes en los brazos.

Siempre me he preguntado cómo no se enteró de lo de mi padre. Yo le dije muchas veces que no quería estar sola con él, y recuerdo que deseaba que ella se lo imaginara o que un día entrara cuando mi padre me tenía atada. Pero nunca lo hizo.

A mi madre le gusta el orden establecido de las cosas. Si todo parece estar bien, entonces *está* bien. Intenté sacar el tema del abuso varias veces al hablar con ella, pero en cierto modo sabía que elegiría a mi padre. No es que se llevaran estupendamente ni nada por el estilo, sino que, sin duda, no habría querido enfrentarse con todo eso. Intenté borrar los recuerdos colocándome y saliendo con mis amigos. Pasé de ser muy buena estudiante a una de las peores. Aunque han pasado algunos años desde que mi padre dejó de abusar de mí, sin duda no me sentía bien conmigo misma. Si podía, me escapaba en cuanto tenía ocasión. Cuando estaba colocada, tonteaba con los chicos; me daba igual lo que me hicieran. Las cosas se habían vuelto bastante insoportables en casa, pero desde el año en que mi padre dejó de abusar de mí empecé a sentirme un poco mejor. Finalmente, hacia el final de secundaria me di cuenta de que tenía que mejorar en los estudios para entrar en la universidad y poder salir de casa, así que empecé a centrarme en estudiar y me inscribí al grupo de teatro del colegio. Dejé de beber, de drogarme y de cortarme, pero seguía odiando estar cerca de mis padres; además, tenía pesadillas. Al menos era capaz de quitarme los recuerdos de forma más efectiva. Cuando terminé secundaria y como mis padres no me iban a pagar una universidad en otro estado, me inscribí en otro distrito de Nueva York y me trasladé allí con una amiga y su familia.

Después de trasladarme, seguí en contacto con mi hermana, que tenía diez años cuando me fui. Un día, fui a casa de mis padres a recoger algo. Ellos no me esperaban ni nada, simplemente aparecí por allí. Cuando subí las escaleras, pasé por la habitación de mi hermana. Pude ver la espalda de mi padre y a mi hermana dándose prisa para subirse los pantalones y ponerse su camisa. Mi padre salió deprisa de la habitación y se dirigió al baño. Yo estaba horrorizada. Estaba temblando completamente. Agarré a mi hermana, y le dije: «¿Qué ha pasado con papá?» Ella se apartó de mí, y me contestó: «¡Nada! ¿Qué te pasa?» Su mirada estaba como muerta, como si estuviera en un trance o algo parecido.

Habían pasado cuatro o cinco años desde la última vez que me tocó, pero todo el dolor volvió de golpe. Me vi como una niña pequeña y no puede dejar de temblar. Cuando mi padre salió del baño, dijo con mucha naturalidad: «Hola Rubí. ¿Qué tal?» Entonces fue cuando tomé la determinación de pararlo.

Empecé la terapia con Patti porque tenía que salvar a mi hermana y alguien me comentó que trabajaba con supervivientes de incesto. Patti me dijo que teníamos que llamar al Centro de Protección al Menor para denunciar el abuso de mi hermana, pero primero podríamos llamar a mi madre para que viniera a una sesión. Yo tenía mucho miedo. Sobre todo, quería que todo esto estallara y que mi madre, por fin, se enfrentara a ello. Así que citamos a mi madre; Patti me ayudó a contarle lo que me había pasado y lo que le estaba ocurriendo a mi hermana. En un primer momento, mi madre me creyó. Eso, realmente, me sorprendió. Me cogió la mano y lloró. Incluso me reveló que cuando era pequeña un tío suyo también abusó de ella. Yo le hablé de la asquerosa bufanda morada que mi padre utilizaba conmigo, y ella admitió que también la había atado a ella con esa bufanda. Se puso a llorar y me abrazó. No podía recordar cuándo fue la última vez que mi madre me había abrazado de esa manera.

Cuando mi madre volvió a casa y se enfrentó a mi padre, evidentemente él lo negó todo rotundamente. Y cuando digo rotundamente es rotundamente. Dijo que yo tenía mucha imaginación. También que no dudaba en que yo me creyera todo eso, pero que, por supuesto, no era verdad. Empezó a hablar de mi consumo de drogas y de cómo éstas pueden aumentar la imaginación. Ahí es cuando se me vino el mundo encima. Mi madre me llamó y me dijo lo que mi padre le había dicho, y terminó la conversación diciendo: «Rubí, yo sé que tú crees en lo que dices, pero no puede ser verdad. ¿Por qué iba a mentir tu padre?» Yo intenté darle detalles para convencerla, pero ella terminó poniéndose de lado de mi padre.

¿Y ahora dónde estaba yo? Había abierto la lata de gusanos que mi padre me había avisado que no abriera. Yo continué viviendo en casa de mi amiga, pero nunca le conté nada acerca de los problemas con mi familia. Empecé a ir al grupo de supervivientes de abusos sexuales de la doctora Patti y recibí mucho apoyo de las otras chicas. Fue la primera vez en que me di cuenta que nunca puedes decir por las apariencias quién ha sufrido abuso sexual. Las chicas del grupo eran maravillosas. Eran listas, guapas y geniales. Eso me hizo pensar: «¡Pufff, me pregunto qué otra persona que conozca ha pasado lo que yo he vivido!»

Mientras tanto, mi padre fue entrevistado por el Centro de Protección al Menor y, por supuesto, me describió como una consumidora de drogas y como una adolescente problemática. Ya no se me permitía ir a casa y mi madre ni siquiera me dejó que me llevara a mi gato preferido. El personal del centro de ayuda al menor decidió no procesar a mi padre. Dijeron que no había ninguna prueba física y que, como mi hermana no respaldaba mis acusaciones, no lo podían procesar. Describieron a mi padre como una persona decente y un buen padre. ¡Ja!

Mi padre, incluso, tuvo la desfachatez de llamarme unas cuantas veces para decirme que debía dejar todo eso. Después, llamó el día de mi cumpleaños y me dijo que siempre sería su amor. Me dijo que los dos sabíamos que era verdad, pero que él nunca lo iba a admitir; de modo que debía decirle a todo el mundo que era mentira. Después, empezó a llamarme tres veces por semana y a rogarme que dijera que me lo había inventado todo. Decía que no me preocupara y que me perdonaría. Sus llamadas sólo conseguían hacer que me enfadara más. Le dije que si seguía llamándome tendría que hablar con mi abogado. Las llamadas cesaron, pero el día de San Valentín recibí una caja de bombones con una tarjeta, diciendo que debía acabar con esta mentira y que todavía me amaba.

Hasta que no hablé de mi abuso, tenía esa extraña sensación de miedo dentro de mí; de que, en cierta manera, todavía tenía poder sobre mí porque yo mantenía su secreto. Pero ahora mi padre ya no tiene poder sobre mí. Soy adulta y nadie me puede forzar a hacer nada que no quiera. Ahora, con el apoyo de mi terapeuta, del grupo y de algunos buenos amigos estoy volviendo a recuperar mi vida. Tengo un trabajo de media jornada y he pedido un préstamo para pagar mis estudios en la universidad. Mis padres ya no me ayudan económicamente, y yo no querría que lo hicieran. Todavía tengo pesadillas, todavía me horroriza cuando me tocan de determinada manera y todavía me deprimo a veces, pero me siento mejor. No siento la necesidad de evadirme con la marihuana; no quiero cortarme; básicamente, estoy aprendiendo a vivir conmigo misma y he dejado de culparme por todo lo que ocurrió. Siento como si me hubiera quitado un peso enorme de encima; el peso de la psique de mi padre, el peso de su cuerpo, el peso de este secreto. Estoy olvidando mi niñez poco a poco. Por primera vez en mi vida, parece que soy libre. Mi lunar de la preocupación es un recordatorio, pero puedo tocar este lunar y saber que nadie me violará nunca más, de modo que todavía me lo rasco cuando me siento atemorizada. Pero ahora le digo a mi cuerpo que todo nos va a salir bien.

Mis pensamientos

Rubí fue increíblemente valiente y quería mucho a su hermana. Se arriesgó mucho. Puede que no fuera capaz de revelar su propio abuso mientras estaba ocurriendo, pero como hacen otras chicas lo contó para proteger a su hermana. Al denunciarlo, corrió el riesgo de destruir a su familia. Sabía que la familia se podía poner en contra ella y negar el abuso, pero ella sintió que daba igual cuál fuera el resultado inmediato; su hermanita sabría, en algún lugar dentro de sí, que Rubí había intentado protegerla.

A corto plazo, sus peores miedos se hicieron realidad. Su padre puso en acción su amenaza, su hermana mintió y ella perdió a su familia. Todavía lucha por esta pérdida. Perdió contacto con su hermana, que se escapó de casa a los quince años. Ocho años después de que Rubí denunciara el abuso, su hermana la llamó. Entre llantos, le contó lo que ella ya sabía: que su padre *había* estado abusando de ella. Por ese motivo se escapó de casa. Su hermana admitió que se estaba prostituyendo y que era toxicómana. Llamó a Rubí para agradecerle que intentara ayudarla y le prometió que estarían en contacto.

Rubí sigue manteniendo la esperanza de que un día su hermana, que ahora tiene dieciocho años, aparezca en su puerta. Mientras tanto, Rubí siempre tendrá su lunar de la preocupación para recordarle su dolor; y su victoria.

La vida después del incesto

He trabajado con muchas chicas que pensaban que nunca se recuperarían de ser supervivientes de incesto y he visto cómo otras superan esta terrible experiencia, al igual que lo hicieron Coral y Rubí. El principio para superar el incesto es, simplemente, saber que no fue culpa tuya en absoluto. Tú no estás sola. Las heridas se curan. Si fuiste víctima de un incesto, puede que siempre sientas los restos de una cicatriz, pero no sentirás siempre el dolor de una herida abierta. Las supervivientes de incesto superan su trauma para llevar vidas felices y maravillosas. Pueden tener relaciones sexuales sanas e íntimas. Como has visto en las historias de Coral y Rubí, y como verás a lo largo de este libro, el espíritu humano tiene una fortaleza imbatible, incluso ante el abuso más terrible.

Hay vías de escape

Si todavía vives en casa de tus padres, hay señales que puedes realizar para protegerte a ti misma. Es posible que no estés preparada para hacer frente a las consecuencias que pueden resultar del hecho de decírselo a tu madre, pero da igual lo joven y lo dependiente que seas de tus padres para la vivienda y el mantenimiento, pues hay otras decisiones que puedes tomar, como:

Primero: quiero que te des cuenta de que con cada decisión positiva que has realizado en tu vida —apuntarte al grupo de debate, tocar la guitarra, hacer teatro, jugar al fútbol, comprar este libro— has hecho la elección de vivir tu vida; por favor, recuerda: *es* tu vida. Con cada paso positivo que tomas, estás sanando parte del dolor que tu abusador te infligió. Una vez me dijo una joven: «Mi padre pensó que me poseía; pensó que yo era suya, pero yo sólo estaba perdida. Ahora soy yo misma y él ya no me puede tocar.»

Segundo: el incesto es algo castigado por la ley. Te recomendamos que lo denuncies. Eso no quiere decir que denunciarlo no conlleve riesgos. Las autoridades comprobarán tu situación y, normalmente, es tu palabra contra la del abusador. Si vives con el abusador, puede que lo envíen fuera de casa o que te envíen fuera a ti. Mientras tanto:

- Intenta encontrar a alguien en quien confíes y empieza a hablar sobre ello.
- Aléjate de tu padre (o abusador) todo lo que puedas.
- Si ves alguna debilidad en tu abusador, puedes intentar amenazarlo con llamar a la policía.
- Si estás muy segura de que no te va a hacer daño, intenta decirle que no. Lo creas o no, esto a veces funciona; por supuesto, la mayoría de las ocasiones es que no.
- Encuentra un miembro de la familia o una amiga que te pueda acoger en su casa.
- Pasa más tiempo fuera de casa.
- Duerme en casa de amigas. He conocido a chicas que han vivido el último año de secundaria en casa de una amiga.
- Busca la manera de mantenerte a ti misma económicamente.

- Intenta estudiar mucho para que puedas tener la oportunidad de conseguir una beca para la universidad y alejarte de tu abusador.

Haz lo que puedas para mantenerlo alejado de ti. Las chicas hacen todo tipo de artimañas en anticipación de la venida de sus padres a su habitación por la noche. Hay chicas que cuentan que se ponen muchas capas de ropa antes de ir a la cama para frustrar los esfuerzos de sus padres.

Aunque ninguna de estas sugerencias valga para ti, por favor, sé consciente de que lo que estás sintiendo —sea lo que sea— es normal y que un día *serás* capaz de escaparte. Por ahora, puedes ir a una organización sobre abusos sexuales para buscar información en páginas web, servicios de apoyo y otros recursos para ayudarte a soportarlo.

Cuando alguien te fuerza a una relación incestuosa toma prestado algo precioso de ti; y de forma muy cruel. Recuerda esto: no te lo puedes quedar para siempre. Tu cuerpo, tu espíritu y tu corazón son tuyos y sólo tuyos, y si empiezas a procesar tu abuso sexual ahora *conseguirás* recuperarlos.

CAPÍTULO 7

Demasiado cerca para sentirte cómoda

Otros incestos: hermanos, primos, tíos, padrastros

> «... el corazón se agita
> el cuerpo tiembla
> los dedos atrapan
> las cremalleras se bajan
> la cordura se esfuma
> adiós, mi pequeña...»
>
> **Una superviviente de abuso sexual a manos
> de su hermano, de dieciséis años**

Por supuesto, el incesto no ocurre sólo entre padres e hijas. Muchas chicas sufren abusos sexuales a manos de sus hermanos, sus tíos y sus primos. Puede que la herida sea diferente y que la traición no sea tan profunda como cuando el padre o el padrastro es el abusador, pero el incesto dentro de la familia siempre es traumático, independientemente de quién sea el que lo perpetre.

Incesto hermano-hermana

El incesto hermano-hermana es una de las formas más complicadas de abuso sexual. Las estadísticas que hay sobre él provienen normalmente de las organizaciones de casas de acogida. De hecho, Mary Walker, una especialista en el sistema de acogida durante treinta años, ha señalado en sus trabajos que al menos un 90 por 100 de los niños que están en casas de acogida denuncian haber sufrido abusos sexuales. Tenemos mejores datos de esos niños porque están dentro de una organización y cuando un niño en acogida es adoptado para siempre y muestra comportamientos extraños, como una masturbación patente o el miedo a ser tocado, los padres adoptivos, normalmente, buscarán servicios para él —como trabajadores sociales o terapeutas— y descubrirán el abuso anterior. Sin embargo, nos es imposible saber hasta qué punto está extendido el incesto biológico o entre familiares no consanguíneos, ya que lo que ocurre en las familias particulares con frecuencia permanece en el terreno de lo privado, a no ser que alguien lo denuncie. Y dada la vergüenza y el secretismo que rodea el incesto, esto no es algo que ocurra muy a menudo.

Lo que sabemos es que los hermanos (y a menudo las hermanas), a veces, abusan sexualmente de sus hermanas menores y que muchas de las que estáis leyendo este libro habréis tenido esta experiencia. Este capítulo es para vosotras. (Aunque el abuso en familias de acogida es, obviamente, un tema muy importante, este libro se centra en las chicas invisibles, en las chicas cuyas historias no se están contando, de modo que examinaremos el abuso biológico o a manos de familiares no consanguíneos.)

En primer lugar, vamos a aclarar los términos. Abuso sexual por hermanos quiere decir cualquier tocamiento inapropiado u otro comportamiento sexual entre hermanos. Que te acaricien, que toquen tus partes íntimas o que te obliguen a tocar las de otra persona, que te hagan ver cómo otra persona se masturba, que te penetren, que te obliguen a ver material pornográfico, que entren constantemente en el baño o en tu habitación: todas éstas son formas de abuso sexual. Cualquier niño de más de seis años puede ser un abusador; el que sufre los abusos puede tener hasta dos o tres años. A veces, el abuso a manos de un hermano ocurre durante años. Vernon Wiehe, en su libro *Sibling Abuse*, dedica un corto capítulo al abuso sexual; corto, en parte, porque es muy difícil encontrar información fiable. Como señala Wiehe, hacer un seguimiento del abuso emocional y físico entre hermanos es mucho más difícil que hacer un seguimiento del abuso sexual. Normalmente, el abuso sexual entre hermanos se mantiene oculto, ya sea porque existe mucha vergüenza o porque hay confusión sobre lo que es y lo que está permitido que ocurra.

Al igual que ocurre con el abuso padre-hija, en las familias en las que se da entre hermanos existe siempre algún problema de paternidad débil. Las chicas, a menudo, dicen que no tenían la confianza necesaria con ninguno de sus padres para decirles lo que estaba pasando. Puede que alguna vez oigas un suceso puntual de un chico que intentó abusar de su hermana, pero lo descubrieron y lo castigaron. Sin duda, esto es algo que ocurre, pero es raro. A menudo hay una situación prolongada de abusos sexuales por hermanos dentro de la casa, y los padres o no se dan cuenta, o le quitan importancia. Y las chicas están totalmente atrapadas y confundidas.

Hay muchas adolescentes que sienten una culpa y una vergüenza tremendas por «dejar» que sus hermanos «se salgan con la suya»; las chicas más jóvenes tienden a tener más miedos. En todos los casos, podemos decir con seguridad que los padres no estuvieron presentes de forma importante.

Esmeralda

Conocí a Esmeralda cuando tenía dieciséis años. Su tía la trajo a mi consulta. Yo estaba dando una charla sobre incesto y abuso sexual en un colegio local cuando una de las trabajadoras sociales se acercó para hablarme de su sobrina. Empezó a llorar y me contó la culpa que sentía por no haber protegido a su sobrina de su sobrino. «¿Cómo no me di cuenta?», estalló, con lágrimas en los ojos. Siguió contándome que su sobrina acababa de salir del hospital después de estar allí dos meses ingresada por intento de suicidio por sobredosis. Durante su estancia, reveló que había sufrido abusos sexuales a manos de su hermano durante cuatro años.

Como descubriría más tarde en las sesiones con Esmeralda, el abuso empezó cuando ella tenía diez años. Ella y su hermano vivían solos con su madre en una zona residencial a las afueras de Nueva York. Su madre trabajaba muchas horas en Manhattan y casi nunca estaba en casa. Eran italoamericanos. Los dos niños iban a un colegio privado y eran buenos estudiantes, aunque Juan, el hermano de Esmeralda, había empezado a tener problemas por hacer novillos en el colegio. Cuando llegó a secundaria empezó a beber y a llegar tarde a casa. La mayor parte del tiempo parecía estar furioso.

Esmeralda, por el contrario, era dulce y extravertida. Estaba en el grupo de debate del colegio, era muy sociable y tenía muchas amigas. Esmeralda era la típica chica con la que se podía contar. Podía guardar los secretos de las amigas, se podía contar con ella como compañera para los trabajos del colegio y siempre estaba dispuesta a ayudar a sus amigos, a sus profesores y a su familia.

Un día, cuando tenía quince años y de regreso a casa después del colegio, Esmeralda se tomó las pastillas que quedaban de una caja de somníferos. A medida que empezaba a quedarse dormida se dio cuenta de que no quería morir. Consiguió llegar hasta donde estaba el teléfono, llamó a su mejor amiga y le contó lo que había hecho. Su mejor amiga y su madre corrieron a su casa y llevaron a Esmeralda a urgencias. El hospital contactó con la madre de Esmeralda y ésta se presentó allí en una hora. Entonces fue cuando Esmeralda abrió la caja de Pandora.

Historia de Esmeralda
Amor fraternal roto

Tengo dieciséis años y llevo en terapia (con Patti) desde hace un año. Durante un tiempo pude mantener todo en orden, al menos de cara al exterior, pero luego me derrumbé. Creo que ese derrumbe me salvó la vida. Es bastante paradójico que hiciera falta una sobredosis para salvarme. Mi hermano y yo vivimos en una zona residencial de Westchester County, en Nueva York. Nuestros padres se divorciaron cuando éramos unos niños. De pequeños casi no veíamos a mi padre y ahora no lo vemos nunca. Él se trasladó a Londres y tiene una nueva familia. Nuestra madre es una especie de adicta al trabajo. Es una inversora de banca y trabaja muchas horas. Mi hermano y yo hemos tenido muchas canguros y niñeras.

Cuando mi hermano llegó a la adolescencia, acordamos que podíamos estar solos la mayor parte del tiempo y que no necesitábamos que alguien nos cuidara. Así que desde entonces —yo tenía diez años y él cerca de trece— sólo teníamos canguros desde que volvíamos del colegio hasta que mi madre llegaba a casa, alrededor de las ocho de la tarde. Entonces es cuando las cosas empezaron a ponerse raras con mi hermano. La habitación de mi madre está en la planta de abajo y las nuestras, arriba. Una vez que nos íbamos a la cama, ella se iba a su despacho y seguía trabajando. No tenía ni idea de lo que estaba ocurriendo.

Mi hermano y yo éramos muy distintos. Yo siempre quería ser perfecta. Siempre quería sacar muy buenas notas en el colegio, nunca creaba problemas con mis amigas y hacía que mi madre estuviera feliz. Mi hermano y yo, en realidad, nunca teníamos conversaciones profundas, pero salíamos mucho, jugábamos juntos al fútbol y hablábamos de música. Normalmente, él siempre estaba cabreado por algo o con alguien, pero conmigo era bastante simpático. Yo creo que eso es lo que me resultaba tan confuso de todo aquello.

Ahora os hablaré un poco de mi madre. Ella ha sido siempre superambiciosa, pero cuando conoció a mi padre decidió dejar de trabajar y tener niños. Cuando mi hermano era pequeño, pasaba mucho tiempo con él; cuando nací yo, él tenía tres años. Mi madre continuó en casa hasta que cumplí tres años y mi hermano tenía seis. Entonces es cuando mi padre anunció que se iba con su secretaria. Como era muy niña, realmente no sé mucho más sobre aquello. Todo lo que sé es que mi madre empezó a trabajar otra vez y que mi mundo cambió. Ahora me doy cuenta de que, desde que mi padre se marchó, mi madre se volvió mucho más distante emocionalmente; ella nunca me hacía demasiado caso, ni siquiera cuando estaba en casa. Creo que no era tanto su trabajo como su depresión.

Yo estaba realmente sola y me apoyaba en mi hermano buscando un compañero «niño». Teníamos canguros y éstas eran simpáticas, pero seguía sintiéndome sola. Mi madre trabajaba durante muchas horas y en cuanto llegaba a casa o leía, o seguía trabajando en otras tareas relacionadas con el trabajo, pero realmente no nos hablaba ni pasaba mucho tiempo con nosotros. En esa época yo estaba suplicando amor, atención y afecto.

Cuando crecí un poco más y comencé a ir bien en los estudios, ella me empezó a prestar alguna atención. Le gustaba ayudarme con los deberes y con los trabajos del colegio, y me decía que estaba muy orgullosa de mí por las buenas notas que sacaba. A pesar de que no hablábamos mucho de asuntos personales ni conectábamos realmente, es el único momento en que puedo recordar que mi madre se centrara en mí. No era todo lo que cabía esperar ni nada parecido, pero yo lo disfrutaba. Hasta secundaria fue siendo un placer.

Mi hermano era mucho más atrevido e independiente. A él siempre le fue bien en el colegio, pero nunca pasaba mucho tiempo con mi madre, especialmente cuando llegó a la adolescencia. Siempre estaba fuera jugando al fútbol o con sus amigos.

Cuando fui adolescente me di cuenta del poco caso que me hacía mi madre y empecé a rechazarla. Estaba hasta las narices. Ella no luchó contra esto, y nosotros tres empezamos a vivir vidas paralelas. Excepto por la noche. Ahí es cuando mi hermano y yo teníamos contacto sexual. Todo empezó cuando tenía aproximadamente diez años. Un día mi hermano, que por aquel entonces tenía trece años, me llevó a casa del vecino para jugar al fútbol. Nuestro vecino era un chico genial de diecisiete años. Sus padres nunca estaban, y resulta que él y mi hermano estaban enrollados, pero en ese momento yo no lo sabía. Me dijeron que entrara para coger unas galletas y luego me pidieron los dos que viera cómo se divertían en un nuevo juego. Bueno, resultó que el juego consistía en que el vecino masturbaba a mi hermano; después, mi hermano le masturbaba a él. Yo aluciné; estaba asombrada y asustada. No sabía qué hacer. Me senté ahí, me comí mis galletas con la mirada baja y no dije nada. Desde entonces evité al vecino.

Esa noche, cuando estaba en la cama, mi hermano entró sigilosamente en mi habitación. Me dijo: «Oye, lo que Ernesto y yo hicimos es muy divertido. Quiero enseñarte a hacerlo a ti también.» Yo le dije que no quería y que me daba un poco de asco. Él dijo que bueno, y se fue.

Después, una semana más tarde, mi madre y mi hermano tuvieron una gran discusión. Él entró en mi habitación llorando y me dio mucha pena. Me dijo que no se sentía nada querido y que si podía dormir en la cama conmigo. Yo le dije que bueno. Yo estaba un poco nerviosa, pero no ocurrió nada. En realidad, hizo esto varias veces durante los meses siguientes; simplemente venía y dormía en mi cama. Al parecer, mi madre no se enteraba.

Mi hermano parecía realmente triste y me decía que yo era la única que le quería de verdad, pero nunca me tocó. Él también dejó de salir con el vecino y a mí empezó a gustarme el sentir la calidez de otro cuerpo en la cama.

Después de seis meses de estos hechos, las cosas cambiaron. Una noche, yo estaba medio dormida cuando comencé a sentir a mi hermano que empezaba a restregarse contra mí. Yo no sabía lo que pasaba, pero hice como que estaba dormida. Él empezó a hacerme más y más cosas, y yo seguí haciendo

como si estuviera dormida. Me ponía la mano en su entrepierna y después me tocaba. Yo sabía que no estaba bien,
pero no tenía a nadie a quién contárselo. Mi hermano y yo
nunca hablamos sobre eso, y yo nunca lo conté.

Lo raro es que ocurría durante algunas semanas, pero
luego durante meses no, y luego volvía a empezar. Cuando
tenía doce años llegué a la pubertad y me llegó el período.
Puede sonar un poco raro, pero fue entonces cuando empezó a gustarme lo que sentía cuando me tocaba mi hermano. Nunca hicimos el acto sexual ni nada por el estilo, pero
nos tocábamos el uno al otro de formas muy sexuales y mi
cuerpo se sentía muy bien. Éste fue, probablemente, el período más confuso de mi vida. Por mucho que mi cuerpo
reaccionara, yo sabía que era algo muy fuerte; estaba mal,
pero a pesar de ello no lo impedía. Empecé a tener síndrome de intestinos irritables, en que no podía ir al baño durante días. Ahora me doy cuenta de que era porque estaba
conteniendo muchos de mis sentimientos, pero en ese momento era algo horrible.

La historia con mi hermano siguió así, intermitente, durante los siguientes dos años. Entonces un día paró. Mi hermano salía con una chica en serio y nunca volvió a mí. Después de unos cuantos meses de que mi hermano no se me
acercara, empecé realmente a relajarme un poco y mis problemas estomacales fueron menos intensos.

Cuando yo tenía quince años se fue a la universidad.
Entonces fue cuando empecé a pensar en el incesto. Temía
que lo que había hecho era asqueroso y no estaba bien, y que
en cierto modo todo el mundo sabía que a mí me había gus-
tado. Me sentía terriblemente avergonzada, pero echaba de
menos a mi hermano. De modo que me mantuve muy ocupada. Sinceramente, no sé cómo mi madre no pudo darse
cuenta de que algo no iba bien.

Intenté tener novios. Por supuesto, la mayoría de ellos
lo único que querían era enrollarse sin tener ninguna relación, pero después de lo que había pasado con mi hermano
eso me parecía natural. No hacía más que encontrar nuevos
chicos con los que enrollarme y empecé a adquirir una ex-

traña reputación en el colegio. Me veían como una chica muy simpática y una buena estudiante, y no como una ramera, pero sí una chica que nunca decía no a los chicos. Por supuesto, nadie sabía lo deprimida que estaba. Un día, no lo pude soportar más y decidí que quería que todos mis sentimientos acabaran de una vez, así que me tomé los somníferos. Pero cuando empecé a sentirme somnolienta, me dio miedo y llamé a mi mejor amiga, en cuya madre también confiaba. Menos mal que estaban en casa. Ellas me llevaron al hospital y me hicieron un lavado de estómago. Estaba tan cansada por los efectos de los somníferos que no tuve la energía de mentir y cuando mi mejor amiga me preguntó que por qué lo había hecho, no pude hacer otra cosa que llorar. Le conté todo sobre la sexualidad de mi hermano abusando de mí. Lo conté todo. Mi madre, mi tía y la madre de mi mejor amiga también estaban en la habitación, y todo el mundo alucinó.

En cuanto lo dije, me arrepentí. Me callé y me negué a hablar más sobre ello. Pero mi madre me obligó a ver a un psicólogo. Yo no quería hablar de ello y no tenía confianza en el psicólogo, y las cosas empeoraron. Estaba tan deprimida que dejé de concentrarme en los estudios y dormía mucho. Después me hospitalizaron. Me pusieron en una sala con otras adolescentes que tenían problemas —desórdenes alimenticios, depresiones, abusos sexuales— y empecé a hablar con otras chicas de lo que había ocurrido.

El terapeuta de la familia hizo que mi hermano viniera a una sesión, donde le tuve que decir lo afectada que estaba con él por haberme hecho lo que me hizo. Fue en esa sesión en la que mi hermano se derrumbó. Admitió que desde que tenía aproximadamente diez años su vecino, de trece, había abusado sexualmente de él. Cuando mi hermano tenía doce años se había convertido en algo habitual. Dijo que el abusar de mí era su manera de escaparse del vecino. La verdad es que ver a mi hermano derrumbarse de ese modo me confundió. Por un lado, estaba enfadada y me sentí bien, pero cuando mi hermano empezó a llorar sentí pena por él, y eso me puso en una situación extraña.

Cuando finalmente salí del hospital, los chicos del colegio tenían un montón de preguntas. Fue muy duro. Mi madre también comenzó una terapia y resultó que su tío había abusado de ella cuando era niña y nunca se lo había contado a nadie. Empezó a darse cuenta de que una parte de ella estaba tan horrorizada de que pudieran abusar de mí, que sencillamente había bloqueado sus sentimientos. Es muy triste, porque resultó que el ciclo de abusos continuó tanto con mi hermano como conmigo.

No hace falta decir que en casa había mucho dolor. Mi madre me dijo que sentía mucho no ser una parte de mi vida, pero continuó trabajando muchas horas y seguía sin hacerme caso.

Entonces mi tía me habló de una terapeuta de la que había oído hablar en su colegio y de un grupo de supervivientes. Empecé la terapia y entré en el grupo, y eso es lo que realmente comenzó mi recuperación. Estaba llena de vergüenza y de sentimientos en conflicto, y tenía que perdonarme mucho a mí misma. El grupo apoyó mi ira contra mi hermano. Sigo sin poder imaginarme que pueda perdonar alguna vez a mi hermano. No siento ninguna pena por él. De hecho, sigo realmente enfadada con él; también lo estoy con mi madre. La única persona que realmente me ayudó fue mi tía. Después de la hospitalización me fui a vivir con ella y eso probablemente salvó mi vida —al menos mi vida emocional—, porque me repitía una y otra vez que lo que me ocurrió con mi hermano no fue culpa mía. Me recordó que mi hermano y yo sólo estábamos confundidos y atemorizados.

Es curioso porque, a pesar de que mi tía nunca antes había estado muy involucrada en mi familia, es ella la que peor se siente. No deja de decirme cuánto siente que no se imaginara lo que estaba ocurriendo y que no hiciera nada. Creo que se lo toma tan a pecho porque ella es una trabajadora social que se ocupa de adolescentes y piensa que, en cierto modo, lo debería haber intuido. Sé que se siente culpable, pero yo siempre le digo a ella que cómo lo podía haber sabido. Le recuerdo que yo tenía muchas máscaras: la niña buena, la buena estudiante, la niña feliz, la hermana que quería mucho a su hermano. Es esta última máscara la que más me confunde todavía.

Mis pensamientos

Esmeralda era una chica muy solitaria. Su madre no estaba mucho en casa y su hermano era su único compañero real. Le confortaba que durmiera junto a ella en una casa donde sentía muy poca confianza y consuelo de los adultos. Podemos encontrar muchos paralelismos entre las historias de Esmeralda, Coral y Rubí. Al igual que Esmeralda, tanto Coral como Rubí deseaban el apoyo de sus madres, pero nunca lo tuvieron. Sabemos que las madres de Esmeralda y de Rubí sufrieron abusos sexuales. Estas madres no estuvieron lo suficientemente cerca de sus hijas como para intuir el abuso. Además, la madre de Esmeralda ignoraba lo que ocurría no sólo con su hija, sino también con su hijo. A las tres chicas las dejaron solas en un momento muy crítico.

Por supuesto, también vemos cómo el abuso sexual y el incesto se repiten en las familias. Parece que el hermano de Esmeralda se sintió profundamente rechazado con la marcha de su padre. Posteriormente, cuando su madre empezó a trabajar después de haber estado muy cerca de él durante los seis primeros años de su vida, los sentimientos de rechazo y soledad se intensificaron. Cuando tenía sólo diez años su vecino, de trece, empezó a fijarse en él, y éste ansiaba esa atención. Lo malo fue que la atención era sexual e inapropiada. El hermano de Esmeralda confesó en la terapia que el vecino también estaba sufriendo abusos sexuales a manos de su entrenador. Su hermano quería apartarse del abusador, pero no sabía cómo. Además, de esta relación obtenía algo importante que no estaba obteniendo en ningún otro lado. Es un patrón que vemos a menudo: muchos chicos de los que están abusando empiezan a abusar de otra persona.

En la terapia de familia, el hermano de Esmeralda contó cómo, cuando era adolescente, estaba horrorizado de que pudiera ser homosexual y que tenía miedo de las chicas, así que su hermana era la alternativa menos amenazadora. Cuando, finalmente, una chica de su edad mostró interés por él, ya no tuvo que sexualizar a su hermana.

Lo que más confundía a su hermana era el hecho de que disfrutara de las sensaciones físicas, lo cual la hacía ambivalente a la hora de impedírselo y avergonzada cuando no se lo impedía. El hecho es que nuestros cuerpos están condicionados para responder a una caricia sexual. Pero lo más importante de lo que tenemos que darnos cuenta es que, en la mayor parte de las situaciones de incesto, el abusador engatusa primero al abusado, y eso es precisamente lo que el hermano de Esmeralda hizo. Al acudir a ella llorando, al querer acurrucarse y dormir con ella, especialmente cuando Esmeralda también se estaba sintiendo vulnerable y sola, se ganó su confianza. Esto era muy confuso. Como Esmeralda era muy complaciente, le daba pena su hermano y quería que todo estuviera bien. Pero no estaba bien. Su hermano sabía cómo y dónde tocarla para excitarla, y ella se sentía confundida por su cuerpo. Las chicas de esta edad dicen a menudo que se sintieron «engañadas» por sus cuerpos. A pesar de lo que puedan estar sintiendo —ira, nervios, tristeza—, sus cuerpos siguen excitándose. Por este motivo, las chicas que han sufrido abusos sexuales se enrollan con muchos chicos sólo para conseguir algunos de esos sentimientos familiares de ser tocadas. Otra razón por la que las supervivientes de abuso sexual se pueden enrollar con chicos es para sentir algo de poder o porque piensan que eso es lo único que se merecen. Eso es lo que les han enseñado.

Una vez más, es asombroso cómo la falta de apoyo maternal puede ser tan perjudicial para una chica. Su madre nunca se imaginó lo que estaba ocurriendo. Pero en realidad tampoco hay nada de lo que extrañarse en esto. A los hermanos, a menudo, les resulta muy fácil mantener algunos secretos a sus padres, especialmente si éstos, a su vez, están ocultando un secreto de incesto. Es increíble que las personas puedan vivir en ese estado de negación, pero es algo que ocurre continuamente. Como dijimos anteriormente, a menudo la misma madre tiene una relación disfuncional y no puede afrontar lo que está ocurriendo, o se siente impotente para hacer nada al respecto.

Recientemente, una chica me escribió a mi página web lo siguiente:

«Cuando tenía doce años y mi hermano dieciséis, solía acercarse a mí y estrujarme los pechos. Pensaba que era lo más divertido del mundo que mis pechos estuvieran creciendo. Yo estaba mortificada. Cuando se lo dije a mi madre ella le dijo que parara, pero él nunca lo hizo y ella tampoco insistió más. Ahora que tengo catorce años odio que me toque nadie. Salto por todo, especialmente con los chicos. Siento siempre como si alguien fuera a aparecer y a agarrar mis tetas. ¿Fue esto abuso sexual?»

¡Por supuesto que fue abuso sexual! Muchas chicas, cuando no hay contacto genital, están confundidas, pero cualquier pellizco indeseado en el trasero o en el pecho es abuso sexual, especialmente si se permite que se repita sin castigarlo (al perpetrador), y puede ser muy doloroso para las chicas que están llegando a la adolescencia.

Hiedra

El abusador de Hiedra no vivía en su casa. Era un primo que tenía poco más de veinte años. Por desgracia, a menudo le dejaban solo en casa para que cuidara de Hiedra y sus padres estaban demasiado ocupados para darse cuenta de que algo iba mal. Empezó a abusar sexualmente de Hiedra cuando tenía once años. A ella le gustaba estar con él porque siempre le prestaba atención. Jugaban a las cartas, pedían pizza para cenar, jugaban con videojuegos... El abuso, en realidad, parecía un precio razonable a pagar; al menos durante un tiempo. Cuando ella tuvo unos trece años empezó a sentirse más rara por esos contactos físicos y se lo dijo a su madre. Hay que decir, en defensa de su madre, que ella prohibió a su primo que volviera a poner un pie en su casa otra vez. Pero, por desgracia, sus padres no volvieron a sacar el tema y se mantuvieron alejados de Hiedra a medida que ella crecía.

Conocí a Hiedra por primera vez cuando tenía diecisiete años y una amiga la llevó a uno de mis grupos de supervivientes de abusos. Le acababa de contar el abuso a una amiga, y esa amiga sabía que necesitaría apoyo. Trabajamos juntas durante su último año de secundaria, pero cuando cumplió dieciocho años sus padres la echaron de casa y le dijeron que se las arreglara por sí sola. Como nunca se habían ocupado de ella lo más mínimo, no le sorprendió mucho, pero tenía que pensar cómo sobrevivir.

Cuando fue a una entrevista de trabajo para camarera en un club de *topless* y, en vez de eso, le ofrecieron un puesto como bailarina de *topless*, decidió hacerlo porque ganaba mucho más dinero. Ella dice que no sentía realmente ninguna vergüenza o pudor por bailar en *topless*. Dice que había aprendido hacía muchos años que los sentimientos son peligrosos; sólo llevan a la desilusión. Había aprendido muy pronto cómo bloquear sus sentimientos y distraerse casi completamente del mundo. Puede que su cuerpo estuviera bailando, pero su mente y su espíritu estaban en otro lugar.

La historia de Hiedra no sólo nos hace vislumbrar el mundo de las mujeres que bailan en *topless*, sino que también nos confirma lo que hemos estado diciendo sobre la cultura dominada por los hombres: que convierte a las jóvenes en objeto. Muestra cómo el tener una familia que no las apoye, el abuso sexual y una cultura que ve a las jóvenes como objetos puede empujar a una chica a sentir que sólo vale para la atracción sexual.

Historia de Hiedra
Mi familia me echó de casa

Tengo diecinueve años y soy superviviente de abusos sexuales a menores. Desde los once a los trece años me hicieron hacer cosas que la mayoría de los niños no empiezan a aprender hasta mucho más tarde. En realidad, el mismo perpetrador tenía poco más de veinte años. Tenía veintitrés y era mi primo. Era un tío muy simpático, sociable y guapo; era muy divertido estar con él. Pero a veces me forzaba a participar en sexo oral, masturbación y besos apasionados. Puedo recordarlo enseñándome sus genitales y tocando también mis partes íntimas.

Al mirar atrás, creo que no le dije que parara en cuanto empezó a hacerlo porque no quería que dejara de venir a casa. Puede que suene muy raro, pero ¿sabes?, al menos Jaime me prestaba atención. Mis padres eran muy jóvenes y estaban demasiado absortos en su relación y en ir a fiestas con amigos. Yo siempre me sentí como si fuera una molestia para ellos. Jaime siempre estaba en casa y cuando había otras personas jugaba conmigo. Me enseñaba juegos de cartas, jugábamos a la pelota y al parchís.

Cuando tuve trece años, finalmente le dije a mi madre la verdad sobre lo que Jaime me hacía cuando nos quedábamos solos, y ella le dijo que no volviera a pisar nuestra casa. También me dijo que dejara de flirtear y de ir por ahí paseando con unos pantaloncitos muy cortos. Es extraño, pero le echaba un poco de menos. No me gustaba que me forzara sexualmente, pero sí que estuviera cerca. Al menos estaba cerca, que es más de lo que puedo decir de mis padres. Durante mucho tiempo tuve miedo de los chicos y de las relaciones. Todavía no he tenido un novio y, en realidad, continúo sin haber besado a un chico. Así que os sorprenderéis si os digo que durante un año estuve bailando en *topless* en un club.

Por supuesto, no puedo culpar sólo a Jaime por convertirme en una bailarina de *topless*. Mis padres también tuvieron mucho que ver. Además, ganaba mucho dinero. Cuando terminé secundaria, mis padres me dijeron que me fuera de casa y que me mantuviera yo misma económicamente. Compartía un apartamento con otras tres chicas, enseñaba baile a niños en un taller de fin de semana y, durante la semana, recibía clases. Tenía una beca y estudiaba en la universidad a tiempo parcial, pero sabía que si no encontraba un trabajo mejor pagado no iba a poder terminar la carrera, así que empecé a buscar trabajo de jornada completa. Oí que podía ganar muy buenas propinas como camarera en el club de *topless* que había cerca de mi apartamento. Cuando fui a la entrevista para un trabajo de camarera, la mujer que llevaba el club me preguntó si, en vez de hacer eso, no estaría interesada en bailar en *topless*. Yo nunca me lo había planteado. Me dijo que si bailaba podía sacar el triple de dinero y que no debía preocuparme por mi integridad, ya que nadie podía tocar a las bailarinas. Así es como me hice bailarina de *topless* a los dieciocho años. Para poder ir a la universidad. Lo hice durante un año.

Casi todas las jóvenes y las mujeres con las que trabajé en el club habían sufrido abusos sexuales de pequeñas. Os lo juro. Lo sé porque me lo dijeron. Todas provenían de familias que no las apoyaban nada. Digamos que la mayoría de nosotras no nos sentimos particularmente queridas durante nuestra infancia y pubertad.

Déjame que te cuente lo que sentía cuando era bailarina de *topless*. Puede que te suene raro, pero en cierto modo reforzó mi autoestima. En las noches más tranquilas, me ponía delante de un hombre y bailaba. Eso es lo que se llama baile de mesa. Mientras bailaba, pensaba: «¿Le hago un baile de treinta euros o sólo uno de seis?» Eso me hacía sentir muy poderosa. Sabía cómo sacarles el dinero. A medida que bailaba, aumentaba mi dinero. Incluso disfrutaba del hecho de hacerles sentir pequeños y estúpidos. Me preguntaban si tenía novio, y les decía: «¡No; pero si lo tuviera, sin duda no serías tú!»

No me humillaba bailar. Ganaba doce mil euros al año y podía pagar la universidad, el alquiler, los recibos, etc., y mantenía mi vida y mi trabajo completamente separados. Nunca salí con los clientes. Nunca. A veces, cuando me iba a casa después de un turno y me acurrucaba con mis gatos y tomaba chocolate caliente, pensaba: «No me puedo creer lo que he hecho hoy. He bailado desnuda.» Pero normalmente no puedo decir que tuviera muchos sentimientos sobre bailar en *topless*. Sabía que quería ir a la universidad, pagar mis facturas y no depender de mis padres para nada, porque no podía confiar en ellos. Sabía que no tenía poder en mi familia; pero como bailarina, tenía poder.

Piensa sólo en el simbolismo. Allí estaba yo, de pie delante de todos esos hombres. Yo miraba hacia abajo mientras ellos observaban hacia arriba, hacia mí. Esos banqueros, abogados y doctores lo único que querían era hablar con una mujer guapa. Me enseñaban fotos de sus niños, me hablaban de sus trabajos o me preguntaban acerca de mí. Si podía hacer que siguieran hablando, ni siquiera tenía que bailar. Hubo noches que saqué varios cientos de euros sólo por hablar con estos hombres.

Pero también podía ser muy mala. Podía ser irónica y sarcástica, y decirles a esos hombres que podían morirse deseándome porque yo nunca iba a estar con ellos. Incluso le di una torta a alguno que otro que intentó tocarme. Si un cliente intentaba tocar mis pezones, le quitaba las manos y le decía: «Tú eres un poquito corto, ¿no? ¡Ahora siéntate encima de tus manos!» Me imagino que es como si todo lo que no pude decirle a mi primo cuando era pequeña se lo dijera a mis clientes.

Sin embargo, había algo raro. Siempre podía reconocer quién era pedófilo. ¿Sabes? Yo tengo un cuerpo como de niña pequeña; soy muy menuda. Cuando Jaime abusó de mí no me había desarrollado todavía. Y cuando un cliente me miraba de determinada manera, casi podía sentir su pedofilia. No puedo explicar cómo, pero lo sabía. Cuando tenía que bailar para un pedófilo, me daban náuseas. Tratar de negar el hecho no me servía para nada. Me quedaba helada y tenía que tomarme un descanso.

Lo dejé al cabo de un año, cuando me di cuenta que estaba pagando un precio muy alto por el dinero. Estaba dejando que los hombres me utilizaran como un objeto de fantasía, y eso empezó a afectarme. Después de un tiempo, miraba a la audiencia y veía a los hombres como si fueran animales, gritando y tratando de tocarnos; a todas esas chicas jóvenes y marcadas.

El baile, sin duda, me cambió. Uno de los cambios fue muy obvio. Solía usar ropa más atrevida: camisetas ajustadas y vaqueros de cintura baja con una camiseta muy corta para enseñar el *piercing* que tenía en el ombligo. Ahora llevo camisas holgadas casi todo el tiempo o pantalones anchos.

Hace poco le dije a mi madre que había sido bailarina de *topless*. Ella no pareció sorprendida; sólo me dijo que tuviera cuidado y que estuviera al tanto del comportamiento ilegal. Parecía que no le importaba mucho, pero en realidad me dijo que le gustaría intentarlo alguna vez.

Sé que me han quedado muchas secuelas emocionales de ese trabajo, pero no quiero que tengáis prejuicios contra las bailarinas de *topless*. Yo no soy una prostituta y muchas de las chicas nunca se irían con un cliente. Las chicas que tienen sexo con los clientes son casi todas supervivientes de abusos sexuales que piensan que no valen para nada mejor. Pero no son malas personas.

Es muy difícil para mí conectar con mis sentimientos. Pero con la ayuda de Patti cumplimenté varias solicitudes para becas universitarias y acabo de recibir una beca de estudiante con alguna ayuda económica. Estoy empezando a solucionar las cosas y a sentirme mejor conmigo misma. Quizá toda esa experiencia del baile fue mi manera de intentar sacar parte de mi dolor.

Mis pensamientos

Evidentemente, la mayor parte de las chicas que sufren incesto no se convierten en bailarinas de *topless,* pero sí es lógico que muchas de las bailarinas hayan sufrido abusos de niñas. Saben cómo disociar. Hiedra solía disociar todo el tiempo en su trabajo. Sólo volvía cuando sentía que su cuerpo estaba siendo violado por un cliente. Entonces respondía o bien enfadándose y quitándole la mano, o bien gritando. Fue un reto trabajar con Hiedra, porque durante el tiempo en que lo hicimos seguía bailando en el club. Esto era duro para mí, porque podía ver que era una persona increíble y sabía que había parte de ella que se sentía violada en el trabajo; pero no lo podía dejar. Un día admitió ante sí misma, y ante mí, que se sentía atrapada y confundida, como cuando era más joven y su primo abusaba de ella. Estaba dispuesta a dejar de quitarse la ropa y a empezar a despojarse de su culpa, y ése fue el día en que finalmente fue capaz de dejarlo. De nuevo te diré que hay chicas que pueden dar muchos rodeos en su curación, pero ten fe. Siempre puedes volver.

* * *

Si tú eres una superviviente de incesto a manos de un primo, hermano o tío, por favor, sé consciente de que quizás estés escondiendo uno de los secretos mejor guardados de todo abuso. No es culpa tuya. Tú no eres obscena y no eres culpable. Si puedes, llama a un teléfono de ayuda, di a tu abusador que pare, cierra la puerta de tu habitación o cuéntaselo a un familiar de confianza.

He trabajado con muchas chicas que han sobrevivido al incesto y han cambiado sus vidas. Te diré que muchas de ellas nunca perdonaron a sus hermanos, a sus primos o a sus tíos, y parte de esa ira, realmente, les dio más poder para cambiar. Tú no tienes que aceptar eso de nadie, ni siquiera de tus familiares.

CAPÍTULO 8

Confiar en el hombre equivocado

Abuso por parte de profesores, entrenadores o sacerdotes

«No hacía más que mejorar en el tenis, y todo el mundo estaba emocionado conmigo. Lo que no sabían es que mi entrenador estaba teniendo sexo conmigo después de los entrenamientos.»

Una superviviente de abuso por parte de su entrenador, de diecisiete años

Si durante los últimos cinco años has ojeado algún periódico de tirada nacional, probablemente habrás leído algún titular parecido a éste: «Arrestado profesor por abusar de alumna» o «Una alumna sufrió abusos en el despacho del director del colegio». En Nueva York, en 1999, el subdirector de la Stuyvesant High School, uno de los colegios más prestigiosos del país, terminó en la portada del periódico. En la fotografía se le veía esposado y llevado por la policía. Se descubrió que este hombre, de más de sesenta años, había estado pidiendo favores sexuales a una alumna asiáticoamericana, de quince años, que trabajaba como voluntaria en su oficina con la esperanza de conseguir una vacante en uno de los muy codiciados programas de biología del colegio. Otro caso reciente que llegó a las portadas de los periódicos tenía que ver con un profesor, de más de cuarenta años, que se escapó a otro estado con una alumna de dieciséis años para casarse con ella. O en 2003: «El director de un importante colegio privado de Nueva York fue arrestado por bajar material pornográfico infantil en los ordenadores del colegio.»

El abuso sexual no es algo que ocurra sólo en las familias. Muchas chicas son atraídas con artimañas o incluso forzadas a tener sexo con instructores adultos, como sacerdotes, rabinos, profesores, entrenadores, etc.; a veces, a cambio de un trato favorable, o a consecuencia de un enamoramiento, o completamente contra su voluntad. Habitualmente son el tipo de hombres que tienen algún poder sobre la vida de las chicas y que utilizan dicho poder para coaccionar a las chicas a cruzar las fronteras adecuadas.

Ya hemos visto a cuánta presión pueden estar sometidas las adolescentes. Y en el capítulo 3 vimos cómo el hecho de tener una familia en la que no puedas confiar te puede hacer vulnerable al abuso. De modo que no es raro que, en ocasiones, una chica sea presa de la manipulación de un hombre que tenga gran influencia sobre su vida; a menudo, una influencia muy positiva, como en el caso de un entrenador, un profesor o un sacerdote. Puede ser muy fácil caer bajo su control. Te gusta la atención que te presta tu entrenador, por ejemplo. Es muy halagador y te hace sentir muy especial. Pero ¿es normal que te abrace para «consolarte» cuando estáis a solas en su oficina? ¿Es normal que te pida un beso? ¿Es normal que te acuestes con él si te dice que te quiere?

Evidentemente, existe una gran diferencia entre los tipos de afecto que el entrenador puede mostrar para darte ánimos —desde un brazo sobre tu hombro cuando ganaste un partido hasta un abrazo después de una derrota— y el abuso sexual. Por ejemplo, por muy molesto que pueda ser un entrenador que esté obsesionado con el peso, te persiga para que pierdas algo de peso o desarrolles músculos en ciertas zonas de tu cuerpo para mejorar tu habilidad en un deporte, no está abusando sexualmente de ti. Sin embargo, si se ríe y se queda mirando cómo se mueven tus tetas cuando juegas al baloncesto, o incluso si hace comentarios lascivos aunque nunca te toque, eso es acoso sexual y no está bien. Basta decir que si te estás sintiendo incómoda con las atenciones de un profesor, un sacerdote o un entrenador puedes cuestionar su comportamiento, decirle que pare o ponerte en manos de alguien de confianza. Si no sabes la diferencia entre lo inapropiado y el abuso, puedes volver a leer de nuevo el capítulo 1 para aclararte.

El abuso por parte de un instructor está completamente ligado a nuestra cultura dominada por los hombres obsesionada con la juventud y la belleza. ¿Te acuerdas de Lolita? Al parecer, muchos hombres encuentran «irresistibles» a las chicas adolescentes. Piensan que cuando estamos vestidas con los uniformes de deporte, vestidas para ir a misa o probándonos la nueva moda adolescente, lo «estamos pidiendo a gritos». Una chica que se pega un chicle en la pierna para una audición (lee la historia de la nueva versión de *Lolita,* de Adrian Lyne, en el capítulo 2) en la mente de un abusador puede convertirse, en cambio, en una «seductora».

Sólo tienes que escuchar lo que dijo el cardenal Francis George, de Chicago, en el encuentro de cardenales americanos con el papa Juan Pablo II, en abril de 2002: «Existe una diferencia entre un monstruo moral como [el reverendo John] Geoghan [que tenía relaciones sexuales con chicos] y alguien que, quizás, bajo la influencia del alcohol tiene relaciones con una joven de dieciséis o diecisiete años que le corresponde su cariño.»

¡Y por qué no hablar del complejo de Lolita! ¿No conoces tú a montones de chicas que quieren acostarse con el cura de su parroquia? ¿No es verdad que todas las chicas están «correspondiendo a su cariño» o «pidiéndolo a gritos»? Sin embargo, ¡ponte por un momento en el lugar de aquellos pobrecitos y desventurados hombres que no pudieron evitarlo! ¿A que sí? La realidad es que muchos hombres en posiciones de poder harán mal uso de dicho poder a través del abuso sexual. Por lo que sabemos, es algo que ha ocurrido durante toda la historia y continuará ocurriendo en todo el mundo. Pero eso no quiere decir que esté bien o que tengas que aceptarlo.

«Cuando volvía a casa, me mantenía ocupada, me distraía, ordenaba algo, me aseguraba de que no tenía tiempo y espacio para pensar en lo que mi entrenador estaba haciendo.»

Una superviviente de abusos a manos de un instructor, de diecinueve años

La mayor diferencia entre el incesto y el abuso sexual por un instructor es, en este caso, que después del abuso tú te vas a casa. No tienes que vivir bajo el mismo techo que el abusador, y la sensación de violación y de confianza quebrantada no es tan profunda como lo es con un padre. Pero como cualquier otra forma de abuso sexual, el abuso a manos de un instructor es una enorme violación de la confianza y, a menudo, deja a las chicas sintiéndose muy inseguras sobre cómo crear relaciones saludables íntimas.

En este capítulo veremos cómo suelen operar los instructores abusadores: primero, ganando la confianza de la chica —y a menudo, como en el caso de los sacerdotes, la confianza de los padres y de la familia—; después, abriéndose camino hacia las insinuaciones sexuales. Por supuesto, el abuso no siempre es premeditado. Algunos hombres, simplemente, pierden su sentido de los límites y se dejan llevar. Pero a pesar de todo es abuso y sigue sin ser aceptable. Un adulto y una adolescente no pueden tener una relación sexual sana, da igual lo madura que ella sea o cuánto se parezca al amor. Sencillamente, hay mucho poder en las manos del hombre y casi nada en las de ella. Punto.

En el caso del abuso a manos de un instructor, hay muchos tipos diferentes de depredadores. En este capítulo oiremos una variedad de opiniones y leeremos algunos mensajes que me enviaron a mi página web chicas que sufrieron abusos sexuales a manos de sus profesores, entrenadores, rabinos, sacerdotes, directores de coro, catedráticos y tutores. Hay demasiadas chicas que han guardado estos secretos. Ya es hora de que levantemos el tabú.

Antes de oír a las chicas, vamos a detenernos un momento para ver algunos de los mitos más extendidos sobre el abuso a manos del instructor.

MITO: Los sacerdotes pedófilos sólo están interesados en chicos.

REALIDAD: Puede que los medios de comunicación hayan reaccionado ante la historia de abusos sexuales a niños dentro de la Iglesia, pero la verdad es que, como en todas las formas de abuso sexual, hay muchas más niñas víctimas de abusos sexuales a manos de sacerdotes, clérigos, rabinos que niños. De hecho, según Mary A. Tolbert, catedrática de estudios bíblicos en la Pacific School of Religions, las chicas tienden a sufrir abusos sexuales a manos de los sacerdotes tres veces más que los chicos. Ella sugiere que lo que conduce a nuestra sociedad a escandalizarse por el abuso a chicos y hacer la vista gorda al abuso a chicas es la combinación de un profundo miedo a la homosexualidad y un menosprecio de las chicas. A. W. Sipe, un ex sacerdote católico y psicólogo que estudió la sexualidad en el sacerdocio católico durante veinticinco años, declaró al *Boston Globe* que aproximadamente «más del doble de sacerdotes tienen relaciones con chicas que con chicos».

Por supuesto, en nuestra sociedad dominada por los hombres el mayor clamor social se reserva al abuso a chicos. Cuando se abusa de las chicas, tendemos a mover la cabeza y decir que ¡vaya!, que eso no está muy bien; pero cuando se abusa de los chicos nos indignamos y queremos justicia. ¿Qué ocurrirá si esos chicos se vuelven homosexuales? Nuestra cultura dice que sería un grandísimo crimen. La verdad es que el clero puede abusar y abusa sexualmente de menores, y su objetivo son principalmente las chicas.

MITO: El abuso de sacerdotes a menores está perseguido por la ley.

REALIDAD: El clero, a menudo, está exento de las leyes que rigen la conducta, y la Iglesia siempre ha protegido a sus sacerdotes de la exposición pública o de las acusaciones criminales llevándolos de parroquia en parroquia. Es muy difícil hacer que el gobierno se implique en casos que tengan que ver con el clero, aunque las cosas están empezando a cambiar[1].

MITO: Si tu sacerdote u otro líder espiritual o religioso está abusando de ti quiere decir que estará bien a los ojos de Dios.

REALIDAD: Por supuesto que no es cierto. El abuso sexual siempre está mal, independientemente de lo que tu sacerdote te pueda haber dicho.

MITO: Los sacerdotes no pueden ser desviados sexuales, depredadores o pedófilos. Son puros y santos, llamados por Dios a ser líderes de sus comunidades.

REALIDAD: Las personas se ordenan sacerdotes por todo tipo de razones y, como ocurre con la población en general, algunos son emocionalmente inestables y con tendencia al abuso sexual. Como sugiere el escándalo surgido dentro de la Iglesia católica, los sacerdotes son tan capaces de realizar abusos sexuales como cualquier otra persona.

MITO: A los profesores de preescolar y de primaria les atrae este campo por razones depredadoras.

REALIDAD: Éste es otro ejemplo de prejuicio de género de la sociedad; si no, ¿qué hombre iba a estar realmente interesado en enseñar y criar a nuestros hijos? La realidad es que la mayoría del abuso sexual se da en colegios entre profesores y chicas adolescentes.

MITO: Tienes que hacer lo que tu entrenador te mande.

REALIDAD: Los entrenadores, a veces, aprovechan su posición de poder. Tú nunca tienes que tener sexo con un entrenador o dejar que te toque de forma sexual.

MITO: A veces es necesario, como parte del entrenamiento, que tu entrenador se propase un poco contigo.

REALIDAD: Como dijimos al principio de este capítulo, si tu entrenador te molesta un poco con que adelgaces, eso no es acoso sexual, aunque puede que tampoco sea cierto ni apropiado. Si se queda mirando demasiado cuando corres, eso es acoso, incluso acoso sexual; pero no es abuso sexual. Pero si toca tus pechos o te dice cosas marcadamente sexuales, eso es abuso y le puedes denunciar.

Salvia

Ahora conozcamos a Salvia, una chica ortodoxa judía que sufrió abusos sexuales de manos de su rabino cuando tenía quince años. Yo no conocí a Salvia hasta que ella tenía veintiún años. Iba a la universidad en la ciudad de Nueva York y una de sus amigas, paciente mía, la trajo a mi consulta. En aquella época, Salvia ya no veía mucho a sus padres. Describía la relación con su familia como «superficial».

Ella se mantenía a sí misma económicamente, costeaba la universidad con becas de estudiante, había dejado de practicar el judaísmo y se había vuelto desconfiada de todos los rabinos y de la religión en general. Esto es algo muy común en los casos de abuso a manos de un clérigo. Las chicas tienden a generalizar sus malas experiencias a todo el clero y a todas las religiones.

Salvia pensaba que ya había olvidado el abuso, pero seis años después de ocurrir éste empezó a tener pesadillas y síndrome de intestinos irritados.

Historia de Salvia
Intenté olvidar

En mi familia eran muy religiosos e iban a la sinagoga regularmente. Mis padres eran muy amigos del rabino y de su familia. De hecho, cuando era pequeña mi mejor amiga era la hija del rabino, Sara. Todos vivíamos en una pequeña zona judía en Borough Park (Brooklyn) y yo, a veces, me quedaba a dormir en casa de Sara (era para mí como una prima) y ella también venía a menudo a la mía. Íbamos de campamento juntas, éramos compañeras de clase y compartíamos secretos. Sara no parecía tener una relación muy estrecha con su padre, que normalmente estaba trabajando en la sinagoga; como era muy religioso, siempre parecía estar celebrando alguna fiesta judía y casi nunca le veía cuando iba a casa de Sara.

Una noche, cuando tenía quince años, me había quedado a dormir en casa de Sara. Ella estaba ya dormida cuando oí pasos que se acercaban a la habitación. Cuando miré hacia arriba, el rabino estaba de pie delante de mi cama. Me miró y me dijo «sha» («silencio», en hebreo). Él estaba muy callado; se sentó a los pies de mi cama, cerca de mí, y empezó a tocarme el pelo. Yo estaba nerviosa e hice como que dormía, esperando que esto le haría marchar.

Antes de que me diera cuenta, se había acostado a mi lado, se estaba restregando contra mí y estaba acariciando mis pechos. Yo estaba paralizada. Recé para que no se diera cuenta de que estaba despierta. Empecé a contar una y otra vez hasta diez y a llevar la cuenta de cuántas veces contaba. Cuando había contado hasta diez unas veinticinco veces, el rabino se había levantado y marchado. Yo me quedé allí tumbada, asustada.

No podía dormir y me quedé ahí, tumbada, hasta por la mañana. Por otro lado, Sara parecía haber estado dormida todo el tiempo. Cuando me levanté a la mañana siguiente y Sara me preguntó qué quería para desayunar, puse una excusa para no quedarme y me fui corriendo a casa.

Cuando llegué a casa les conté directamente a mis padres lo que había ocurrido. Ellos no me creyeron. Me dijeron que lo debía haber soñado, que nuestro maravilloso rabino no era un «pervertido» y que no habría hecho eso. Dijeron que me tenía que dar vergüenza hacer una acusación de tal calibre. Después, me llevaron a la casa del rabino y me obligaron a contarle mi «historia». Por supuesto, el rabino negó todo.

Pero ahora viene lo increíble. Sara debía haber estado escuchando detrás de la puerta porque, de repente, entró en la habitación y se enfrentó a su padre, diciendo que había estado abusando de ella durante años. Delante de mí y de su familia, Sara se echó a llorar, diciendo que había tenido miedo de decírselo a nadie, pero que no le iba a dejar que saliera impune después de abusar también de su amiga. ¿Os podéis creer que después de que Sara se pusiera a llorar y todo eso, los adultos tampoco nos creyeron? Mis padres simplemente miraban a su adorado rabino, y le decían: «Rabino, ¿cómo va a ser verdad?»

Ante tamaña evidencia, el rabino continuó negando que nos hubiera tocado a alguna de las dos alguna vez. En ese momento, Sara, que normalmente era muy educada, empezó a llorar descontroladamente. Fue entonces cuando su padre perdió el control y empezó a gritar a Sara con violencia. Entonces quedó patente, incluso para mis padres, que debía haber algo de verdad en lo que Sara y yo estábamos diciendo.

Fui hacia Sara y la abracé; ella se echó en mis brazos. Yo no hacía más que decirle: «Lo siento, no lo sabía.» De repente, mi única noche con su padre no me parecía nada en comparación con lo que le habría hecho durante todos estos años a mi querida amiga, que siempre lo ocultó. Mi familia me llevó a casa, y rompió toda relación con el rabino y con la sinagoga. Cuando veía a Sara por los pasillos del colegio, ella me evitaba. Mis padres me prohibieron que fuera a su casa, y ella tampoco quería que fuésemos caminando juntas a casa después del colegio. Mi familia sentía vergüenza por mí y me dijeron que no se lo contara a nadie. Después de unos meses, la familia de Sara se fue a Israel y nunca volví a saber de ella. Simplemente enterré la experiencia muy dentro de mí. Me volví más aislada. No confiaba en nadie. Desde luego, no podía confiar en mis padres, así que me ensimismé.

Cuando terminé secundaria me fui de casa y me matriculé en la universidad. Limité el contacto con mi familia. Pero seis años después de este suceso, empecé a tener pesadillas y a estar deprimida. Entonces mi amiga me llevó a la terapia.

Mis pensamientos

Cuando Salvia vino a verme dejó claro que no quería hablar de lo que le había ocurrido con el rabino, ni tampoco de que sus padres no la hubieran creído. Eso es lo que más le había herido. Sus padres lo habían mantenido en secreto todos estos años. Cuando, en una ocasión, Salvia se acercó a su madre para hablar sobre el abuso, ella le dijo: «Mira, sólo te ocurrió una vez. Olvídate de ello.» Ésta es una experiencia muy común para las chicas. Cuando «sólo» abusan de ti una vez, la mayoría de las personas no entienden que te encuentres afectada. Pero una experiencia traumática te puede afectar durante años.

Si Salvia hubiera sido capaz de procesar el abuso y de mantenerse en contacto con Sara, puede que, cuando nos hubiéramos encontrado, ya lo hubiese superado. Pero para entonces ya había sufrido seis años de represión. Lo que Salvia descubrió, como hacen muchas otras chicas, es que todavía quedan muchos asuntos pendientes, incluso para la superviviente que revela su abuso.

Como ella describió, la experiencia le había hecho muy desconfiada de la religión y de los hombres en puestos de poder. Le costaba mucho confiar en los profesores y tenía problemas para intimar con los jóvenes. A través de la terapia, empezó a valorarse por haber cuidado de sí misma y haber revelado el abuso. Cuanto más trabajábamos para reconstruir su confianza en sí misma, más capaz era de abrirse a otras personas. Se dio cuenta de que, realmente, había hecho lo adecuado al contarlo, y que podía tener fe y cuidarse de sí misma.

La horrible experiencia con el rabino, junto a la de sus padres que no la creyeron, hizo que construyera un muro alrededor de sí misma. Sin embargo, poco a poco se dio cuenta de que el origen del muro era la falta de confianza en sí misma y que, al darse cuenta de lo valiente que había sido al contarlo, podía recuperar esa confianza y dejar que otras personas accedieran a ella.

Por supuesto, después de seis años de violación, como en el caso de Coral (véase capítulo 6), una chica tendrá sentimientos y síntomas contradictorios y complicados a los que enfrentarse, pero todas las adolescentes que han sufrido abusos sexuales comparten algunos sentimientos comunes de vergüenza y desconfianza que pueden durar años. Muchas chicas de las que se ha abusado una o dos veces se sienten culpables incluso de sentir cosas al respecto, porque saben que otras chicas lo han pasado mucho peor. ¡Pero yo estoy aquí para decirte que «sólo» una vez ya es demasiado! No es raro desarrollar problemas emocionales con sólo una experiencia de abuso. Tienes derecho a tus sentimientos. Y eso no le quita el derecho de otros a los suyos.

En el flujo constante de mensajes que me llegan a mi página web, probablemente una de cada cinco chicas tiene que ver con algún tipo de abuso a manos de un instructor. Puede haber algún tipo natural de intimidad entre una chica adolescente o una mujer joven y su entrenador o profesor, especialmente cuando la chica es particularmente simpática y le gusta el deporte o la materia. Por ejemplo, el hecho de que el profesor de inglés de tu colegio te anime a que envíes tus poesías para publicarlas, o que un entrenador te anime a que intentes entrar en un equipo de la universidad, puede ser realmente estimulante, incluso cambiarte la vida; especialmente si te estás sintiendo vulnerable y/o no tienes una buena relación con tus padres.

Hay otros factores que hacen a algunas chicas más vulnerables que otras. Por ejemplo, puede formar parte de tu tradición cultural que obedezcas siempre a las personas mayores. Quizá las mujeres son muy poco consideradas en tu cultura. Las chicas que están experimentando otros traumas —el divorcio de los padres, la muerte de un familiar o cuando la atención de los adultos está en otro lugar— pueden ser más susceptibles de abuso sexual por un instructor de confianza. En particular, las chicas que están atravesando una depresión pueden ser seducidas fácilmente por un entrenador que les diga que puede garantizar su felicidad. Entonces, es fácil que proyectes en tu instructor determinadas cualidades de protección o paternales, o que te sientas llena de gratitud. Por eso es por lo que las chicas, a menudo, se sienten tan confundidas y culpables con el abuso a manos de un instructor. Pero no te confundas: estos hombres son manipuladores disfrazados de personas que te están ayudando.

Por ejemplo, si sufriste abusos cuando eras pequeña y nunca se lo dijiste a nadie porque no te sentías segura en tu familia, puedes ser más susceptible al abuso por un instructor. Pero si sufriste abusos antes y se lo contaste a alguien, y obtuviste apoyo y resultados, es posible que tu sentido de los límites se haya desarrollado mejor. Si sabes que la gente te apoya y cree en ti, serás capaz de darte cuenta de las señales de peligro (te mira demasiado, te espera muy a menudo, te invita a tomar café, etc.). Si te sientes incómoda e insegura con las vibraciones o las intenciones de tu instructor, habla de ello con un adulto de confianza.

Una chica me escribió a mi página web para pedirme ayuda sobre la confusión que sentía con las insinuaciones inapropiadas de su entrenador.

Querida doctora Patti:

Yo vivo en Tucson (Arizona) y acabo de empezar secundaria. Al leer las cartas de su página web, me he animado a escribirla. Nunca le he contado a nadie esto, pero me ocurrió algo muy raro con mi entrenador de baloncesto. Ya no trabaja en mi colegio y no lo he vuelto a ver desde que se marchó, pero tengo mucho miedo de contar lo que ocurrió. Tengo miedo de que vuelva y me encuentre, y diga que estoy mintiendo.

Él solía trabajar conmigo a solas y decirme lo buena que era. Sólo tiene algo más de veinte años y es muy guapo. Yo admito que me gustaba su atención. Pero un día en que estábamos entrenando, me derribó al suelo, me metió la lengua en la boca y me puso las manos arriba, en mi camiseta. Yo me quedé paralizada. Me siento tan estúpida por eso ahora... Estaba asombrada y no sabía qué hacer. Seguí jugando al baloncesto, pero nunca me quedé más tiempo ni estar a solas con él. Sólo me ocurrió esa vez. Yo creía que ya había pasado, pero ahora estoy teniendo pesadillas. ¿Sufrí abusos sexuales? ¿Fue culpa mía? ¿Lo debería contar?

Suzanne

Sí; Suzanne sufrió abusos sexuales. No, no fue culpa suya. Ella no sabía que su entrenador la besaría con lengua ni que tocaría sus pechos sin su consentimiento. Hay muchas chicas que hablan de este tipo de sucesos que ocurren sólo una vez, después de lo cual evitan a la persona. Eso es lo mejor que se puede hacer. Incluso es mejor encontrar a un adulto de confianza a quien contárselo. El adulto te puede ayudar a pensar qué es lo siguiente que debes hacer, y también te puede ayudar a afrontar los sentimientos que surjan para que no te dejen como huella miedos y desconfianza.

Otra chica que me escribió a mi página web tuvo una «relación» con su instructor, que comenzó de forma «bonita» pero que terminó volviéndose abusiva con el tiempo.

Querida doctora Patti:

Tengo veinte años y acabo de terminar mi segundo año de universidad en el medio oeste. Recientemente terminé una aventura amorosa con mi profesor de inglés de secundaria. Yo siempre me sentí especial en las clases del profesor X. Provengo de una familia de gente muy preparada con los que nunca me podré igualar, pero él me dijo que yo era realmente inteligente. Me dijo que me amaba y que no importaba la edad (él tiene treinta y cuatro años). Sabía que él estaba casado, pero siempre me dijo que su mujer no le comprendía, que yo era la única que lo entendía. Me escribía poesías y me hacía regalos; me sentía muy halagada por toda esta atención.

La relación comenzó cuando empezamos a ir a tomar café después del colegio. A mitad de mi último año de colegio, estábamos quedando también los fines de semana. Me llevaba a recitales de poesía y cosas por el estilo. Me dijo que su mujer lo sabía pero que ella nunca estaba pendiente de él, así que daba igual. Mis padres pensaban que era un poco raro que este profesor pasara tanto tiempo conmigo, pero les gustaba, así que no parecía que se preocuparan demasiado. A veces se quedaba a hablar un poco con ellos, y creo que ellos pensaban que era un tío genial.

Entonces un sábado, después de tomar café, me llevó a un parque y me comentó que estaba enamorándose de mí. Me dijo que quería besarme y me preguntó si podía. Yo le dije que sí. Recuerdo que fue una sensación rara, como besar a un famoso de toda la vida de la televisión o algo por el estilo, a alguien a quien miras pero con el que nunca querrías intimar.

Al finales del curso pasábamos mucho tiempo juntos. Fue el mismo año en que mis progenitores se divorciaron y mi padre se fue a vivir a otro lugar. El profesor X me apoyó mucho en ese momento. Mi madre estaba deprimida y yo casi no veía a mi padre, con el que ya tenía escasa relación. Le conté al profesor X todo y me apoyé mucho en él en búsqueda de ayuda emocional. Él se portaba muy bien. Incluso llamó a mi madre y le dijo que no se preocupara por mí, que él estaría pendiente.

Poco a poco me convenció que dejara de ver a la mayoría de mis amigos para que pudiéramos pasar más tiempo juntos. Cuando fui a la universidad, él me visitó; entonces fue cuando tuvimos sexo. Yo no quería perderlo, así que lo complací. También pensé que él iba a ser la única persona que me iba amar toda la vida. Pero después de la primera vez, ya no lo quería volver a hacer. Me sentía muy rara. Pero cuando le dije que no quería, se enfadó mucho y me forzó sexualmente, diciéndome que había dejado su matrimonio y se había ido de su casa porque estaba enamorado de mí. Más tarde descubrí que nada de esto era verdad. Empecé a sentirme atemorizada y quería cortar con él, pero era muy controlador y tenía miedo de lo que me pudiera hacer. Tenía miedo de que se lo contara a mis padres y que éstos alucinaran. Dejé de comer. Caí en una depresión. No quería ver más al profesor X.

Fui al gabinete psicológico de mi antiguo colegio y le hablé a la psicóloga sobre la relación. Ella me dijo que no era una relación consensuada y que era como un abuso sexual. También me dijo que hablaría con el profesor X y que le diría que dejara de contactar conmigo porque, si no, le iba a denunciar.

Para abreviar la historia, le dije al profesor X lo que la psicóloga me había dicho; en un principio, estaba muy enfadado, pero más tarde ocurrió lo más extraño. Se derrumbó y lloró, y admitió que llevaba diez años saliendo con adolescentes. Cuando le conté eso a la psicóloga, ella alucinó totalmente. Me dijo que le amenazara con llevarle a juicio si no buscaba ayuda. A mí me daba miedo toda esa historia, así que dejé que fuera ella la que contactara con él. Ella se aseguró que asistiría a terapia.

Me siento como una cobarde. Probablemente debería denunciarlo para que no abuse de otras adolescentes, pero no tengo valor. Me siento muy culpable y sucia. Aunque mi terapeuta me dice que no fue culpa mía, siento como si fuera yo la que hubiera buscado la relación. Al leer las otras historias de su página web, veo que otras chicas se han perdonado a sí mismas. ¿Por qué yo no puedo perdonarme a mí misma?

María

María tuvo una experiencia realmente traumática. Fue forzada a tener una relación sexualizada y romantizada con su profesor —un profesor que le encantaba, pero con el que no quería tener relación sexual—. Al igual que los pedófilos buscan a chicas vulnerables que están solas y sin atención, los instructores con desviaciones sexuales buscan a chicas que, en cierto modo, parecen desprotegidas y vulnerables.

María no tenía una relación muy estrecha con su padre después de que se divorciara de su madre, y en su último año de colegio casi no lo vio. Cuando María empezó a confiar en el profesor X, compartiendo su vulnerabilidad y su tristeza, él quizá supuso que estaría más abierta a su «consuelo». En estos casos las fronteras son muy confusas. El abuso a manos de un instructor es muy doloroso, al igual que lo es el incesto, porque a menudo la chica busca y confía en una persona que termina sexualizándola y abusando de ella. El hecho de que los padres conozcan al instructor y confíen en él sólo confunde más las cosas.

Seamos conscientes también de que la idea de que las mujeres jóvenes se sienten atraídas por hombres mayores está muy extendida en todas partes: en las películas, los anuncios, las revistas y otros medios de comunicación. Incluso en la serie de televisión *Gilmore Girls* el personaje de la chica, Paris, por otro lado abierto, asertivo y brillante, va a la universidad de Yale y tiene una aventura con su profesor, de más de sesenta años. Sabemos por otros capítulos anteriores que Paris está desesperada porque nunca obtiene atención de sus padres. Por supuesto, las chicas siempre se están culpando a sí mismas por las situaciones en las que terminan metidas. Pero observa a tu alrededor. Observa la cultura —especialmente las películas— y verás fácilmente cómo siempre se representa a las chicas dispuestas a tener lazos «románticos» con hombres adultos y mucho más inteligentes.

Si eres una superviviente de abuso a manos de un instructor, o estás teniendo relaciones ahora con un instructor, por favor, debes entender que estas relaciones no están bien, aunque todo el mundo a tu alrededor las fomente. Aunque te digan que todo es perfectamente normal, que la diferencia de edad no significa nada, que tú eres un «alma antigua» o estabais conectados en otra vida; aunque no sea una relación por la que te sientas herida, debes confiar en mí y saber que en algún momento de tu vida te hará daño, porque este tipo de relación se basa sólo en el poder.

Da igual lo «madura» que seas o lo «preparada» que te sientas; como adolescente, sencillamente no estás en igualdad con un instructor adulto. Una vez que tengas más o menos veinticinco años, y hayas pasado a la edad adulta, ya es cosa tuya decidir con quién intimas. Pero como adolescente, tener una relación con un instructor adulto es una historia completamente diferente.

Para aquellas de vosotras que podéis estar actualmente envueltas en una relación sexual con un instructor, por favor, tenéis que saber que es mejor que terminéis la relación lo antes posible. Os insto a tomaros en serio todo lo que hemos dicho en este capítulo. No te culpes a ti misma. No es culpa tuya y nunca es tarde para cambiar una situación.

A menudo, el hecho de amenazar a tu abusador con denunciarlo es suficiente para pararlo. Es posible que no seas la primera chica de la que este hombre se ha aprovechado y los instructores, a menudo, tienen miedo de que se les descubra o que se les investigue, porque ellos saben lo larga que es la lista de sus romances.

Aunque la justicia cambia muy lentamente, hay leyes que protegen a las chicas contra los depredadores sexuales y vale la pena que revises las leyes que hay en tu país. Como leerás en el capítulo 10, «La violación siempre duele», tanto las universidades como las facultades han creado programas para los estudiantes sobre prevención de agresiones sexuales y talleres de orientación sexual.

Pocas veces se hace justicia en casos de abuso a manos de un instructor, pero siempre tienes el poder de marcharte. Recuerda: puede que tu instructor sea encantador y halagador, y que te dedique toda la atención que ansías, pero los maravillosos talentos que él se está ofreciendo a alimentar en ti son *tuyos*. Él no los creó y tú no le debes a él sexo a cambio de su amabilidad. Si te sientes atraída hacia él, recuerda que vuestra relación no es una asociación de iguales, y nunca lo será.

Puede que, a corto plazo, sea doloroso y confuso rechazar los avances de tu instructor, pero créeme: no te arrepentirás.

CAPÍTULO 9

Arrastrada demasiado lejos siendo aún demasiado joven

Abuso sexual a manos de conocidos

> «Sentía como si me estuviera ahogando en un desagüe. No tenía nada a lo que agarrarme arriba, nada que me mantuviera a flote. Mientras él me tocaba yo contemplaba desde la barrera.»
>
> Una superviviente de abuso a manos de un conocido, de catorce años

El abuso a manos de un conocido se diferencia de la violación en una cita en que, por definición, ya conoces a tu abusador antes de que te viole, y puede que no implique en absoluto ir a una cita. De hecho, puede que todavía no estés saliendo con chicos. Puede que tengas doce años. Las niñas preadolescentes y las adolescentes son particularmente vulnerables al abuso sexual a manos de un conocido. Puede que seas amiga del chico o que lo conozcas del barrio. Puede que incluso te atraiga, pero en vez de tomarlo con tranquilidad e ir explorando poco a poco de modo que puedas manejar la situación, se aproveche de tu confusión y vulnerabilidad, y te empuje sexualmente mucho más lejos de lo que estés dispuesta a ir.

Mitos y realidades sobre el abuso a manos de un conocido

Es este capítulo hablaremos de los mitos y malentendidos más comunes sobre las jóvenes adolescentes y su sexualidad. Y para contrarrestar esos mitos, aquí están algunas de las realidades que he aprendido de cientos de chicas adolescentes y de mujeres jóvenes con las que he hablado a lo largo de los años.

MITO: Las chicas adolescentes tienen un tremendo apetito sexual.

REALIDAD: Dado lo complicada que es la pubertad, hacer una afirmación como ésta es ridícula, pero aun así es una opinión muy extendida. He aquí la verdad: hay chicas que sienten excitación sexual y otras no. Muchas niñas de doce años empiezan a sentirse interesadas en los chicos (o en las chicas). Puede que quieran besarlos, pero no necesariamente quieren que les toquen los genitales o tocar los de otra persona. Tienen todo tipo de pensamientos y sentimientos, y un montón de miedos sobre la auténtica conexión del sexo. No están emocionalmente preparadas para la consumación del contacto sexual físico, y ésa es la esencia de lo que es el abuso: que una chica no esté emocionalmente preparada para integrar lo que puede estar experimentando físicamente.

Ahí es donde los chicos y los hombres se confunden. Puede que una adolescente de trece años se vista como Britney Spears y que le atraigan e intriguen los chicos, pero *eso no quiere decir que quiera tener sexo con ellos*. Puede que tenga pósters de Enrique Iglesias en la pared, o que tenga fantasías románticas con él, pero en realidad no quiere que un quinceañero, independientemente de lo mono que éste sea, le meta los dedos en la vagina. Normalmente, el verdadero apetito sexual de una chica empieza más o menos a los quince años.

Hacia los quince o dieciséis años, una chica está cognitiva, emocional, física y espiritualmente preparada para tener relaciones más profundas, incluyendo las sexuales. Éste es un momento en el que la mayoría de las chicas han completado su tarea de apartarse emocionalmente y reunirse con sus padres, y están preparadas mentalmente para manejar una relación que sea emocional y sexualmente compleja.

MITO: A las chicas jóvenes les encanta practicar sexo oral a los chicos.

REALIDAD: Hay un montón de presión sobre las chicas para que practiquen sexo oral a los chicos. Hoy en día, gran parte de la cultura adolescente piensa que el sexo oral es tan normal como los besos. A veces, incluso, practicar sexo oral es un rito de entrada dentro de un grupo. Pero bajo la bravuconería existe miedo —e incluso disgusto— en las chicas. Durante todos los años que he trabajado con adolescentes, no puedo recordar de ninguna niña de doce a quince años que me dijera que le encantaba practicar sexo oral a los chicos. De hecho, una adolescente de esa edad puede experimentar cierta incomodidad física, como arcadas, asfixia y náuseas, si intenta practicar sexo oral. A muchas chicas les han dado arcadas cuando les han forzado a tragar semen. También les puede causar un torbellino emocional. La mayoría de las chicas, sencillamente, no están preparadas.

MITO: Las chicas de doce a quince años controlan su atractivo sexual y lo utilizan deliberadamente para manipular a los chicos. Se sienten sensuales, guapas y poderosas, y quieren excitar a los chicos.

REALIDAD: Las chicas de doce a quince años, normalmente, se sienten desgarbadas, incómodas, feas y avergonzadas por sus cuerpos en desarrollo. No importa cómo parezcan a los demás, ellas rara vez se sienten sexualmente atractivas. Están ocupadas adaptándose a todos los cambios, llorando algunas de las pérdidas que conlleva el desarrollo de caderas y senos, y teniendo sus primeros períodos menstruales. Están navegando en nuevas aguas, imaginándose cómo manejar sus nuevos cuerpos y sus oleadas hormonales.

En esta etapa del desarrollo las chicas, naturalmente, se sienten confundidas por su repentino atractivo sexual. Puede que las presionen para que empiecen a experimentar con el sexo para adaptar su naciente sexualidad a las expectativas culturales. Pueden empezar a llevar maquillaje y probar a vestirse de modo más sexy, y puede parecer que se transforman en mujeres de la noche a la mañana, pero pocas chicas están verdaderamente «al mando» de su sexualidad, incluso a los quince años; para qué hablar de los doce, trece o catorce años.

MITO: El acto sexual sienta muy bien a esa edad.

REALIDAD: A esa edad, el acto sexual duele y da miedo. Sencillamente no es algo que la mayoría de las chicas de doce a quince años deseen en esta etapa de su desarrollo físico y emocional, independientemente de la atención que deseen de parte de los chicos. Por supuesto, hay algunos cuantos casos en los que dos jóvenes realmente se enamoran y están preparados para este compromiso, pero eso no es muy normal. Puedo deciros cuántas veces chicas que han tenido sexo muy temprano (por propia voluntad) me han dicho que no podían entender para qué servía. Exponían ideas como: «Duele. Sangras. A veces, incluso, te cuesta andar al día siguiente.»

Cualquier chica educada en una familia en la que no se sentía valorada como persona, donde no la apoyaban cuando intentaba crear claros límites sexuales, donde no se sentía vital o importante, donde se sentía invisible, es vulnerable al abuso sexual a manos de un conocido.

¿Os acordáis de Coral cuando contaba que se sentía orgullosa y guapa con su nuevo conjunto? También contaba que después de que su padre la violara se sentía sucia. La violación le quitó todo el bienestar y el orgullo de su cuerpo en desarrollo. Ya es bastante duro afrontar los sentimientos que surgen durante la adolescencia, pero cuando abusan sexualmente a una chica, como agredieron a Coral, ésta tiende a bloquear sus sentimientos. Lo mismo le ocurrió a Ágata, a la que en seguida conoceréis, cuando la forzaron a tener una relación sexual muy pronto. A medida que Ágata atravesaba todas las etapas normales del desarrollo que hay en la adolescencia —queriendo encajar, sintiéndose rara e incómoda con su cuerpo en desarrollo y confundida con su atractivo sexual— no tuvo una base sólida de apoyo en casa. Se sintió perdida en el mar con todas estas nuevas sensaciones. Entonces apareció un chico guapo y conocido, y sucumbió.

Ágata

Conocí a Ágata cuando estaba hablando a un grupo numeroso de chicas en su colegio. Recuerdo que la miraba; tenía una expresión en su cara como de aturdida. Después de la charla, se acercó y me dijo que le habían ocurrido algunos incidentes que nunca le había dicho a nadie. Ese día hablamos cerca de una hora.

Me comentó que estaba obsesionada por algunas extrañas experiencias que tuvo con su instructor en un campamento de equitación hacía algunos años. Me contó que era un chico muy popular en el campamento y que nadie sabía que había abusado de ella. Me explicó que ahora salía con chicos, aunque no le gustaran, y que estaba confundida sobre toda la atención que parecía necesitar de ellos. Sabía que tenía algo que ver con la experiencia del instructor que abusó de ella. Albergaba mucho resentimiento contra él, pero también se sentía culpable por no habérselo impedido. Estaba, obviamente, en un estado de torbellino emocional.

Ágata describió lo enfadada que se sentía siempre y cómo llevaba su enfado a las clases, y a la relación con sus padres y con sus amigos, tanto con chicas como con chicos. Aunque hablaba en un tono monótono, como hacen muchas supervivientes cuando revelan su abuso por primera vez, pude ver cómo su cuerpo comenzaba a relajarse.

Poco después, Ágata empezó a venir a mi consulta, y durante las siguientes sesiones completó los detalles de lo que le había ocurrido. El abuso tuvo lugar durante dos veranos, cuando tenía doce y trece años. Su ira era palpable. A menudo, durante las sesiones, apretaba los puños.

Empezamos a trabajar juntas en la primavera de su segundo año de secundaria. Estaba inscrita en el grupo de poesía del colegio y era una buena estudiante, pero el éxito académico no le proporcionaba mucha alegría. Tenía problemas para conectar con chicos y chicas, y describía a sus conservadores padres como bienintencionados pero incompetentes en muchos sentidos. De forma lenta pero segura, se hizo claro que Ágata tenía muchas razones para desconfiar.

Ágata era afroamericana. Como hija única, vivía con sus padres y sus abuelos, que parecían no tener mucha idea sobre las adolescentes de hoy en día. El padre tenía una pequeña empresa de limpieza en seco y pocas veces estaba en casa, de modo que Ágata pasaba mucho tiempo con su madre y su abuela. No había una auténtica sinceridad en casa de Ágata; además, se respetaba a los mayores. Se daba por hecho que Ágata sería una «niña buena», lo que incluía ser amable y considerada hacia su anciana abuela, una mujer amargada que había pasado malos momentos, en el sur, durante la época de la Depresión.

Ágata no tenía ninguna duda de que su familia la quería, pero sentía que tenía que interpretar un papel para agradarles. Si se salía del papel, rápidamente su asustada madre, que todavía estaba bajo el domino de su propia madre, la regañaba. Ella entendió el mensaje muy claro: no crees problemas. Cuando Ágata llegó a la preadolescencia quería encontrar su lugar, pero no tenía ni idea de cómo hacerlo.

Historia de Ágata
Me dijo que era especial

He estado ocultando este secreto de abuso sexual durante años. Nunca se lo he dicho a mis padres ni he denunciado a esa persona, pero cuando Patti vino a mi colegio, de repente, volví a recordar todo y tuve que contar la historia de lo que ocurrió.

Soy afroamericana e hija única. Mi piel es muy clara. Mi abuela de parte de padre también la tiene clara. Tener este color de piel es algo positivo en mi familia, pero para mí es muy incómodo porque no encajo muy bien en ningún lado. ni con los niños mulatos, ni con los niños negros, ni con los niños blancos.

Yo siempre he sabido que mis padres me quieren, pero nunca he podido ser abierta con ellos. Vivimos en State Island (Nueva York). Es una comunidad con algunas familias muy adineradas y el resto de clase media y trabajadora, pero no es una comunidad integrada. No sé por qué mis padres se trasladaron a una zona tan de blancos, pero el caso es que lo hicieron. Mi familia es de clase media; mi padre es el dueño de una pequeña empresa de limpieza en seco.

Cuando tenía doce años ya estaba bastante desarrollada físicamente y me sentía un poco incómoda. Los chicos me empezaron a mirar de forma distinta y los hombres, en la calle, me silbaban. La gente pensaba que tenía unos quince años. Tanto mi madre como mi abuela tenían grandes pechos, y yo siempre rezaba para que no saliera como ellas. Recuerdo que solía bajar los hombros para tratar de esconderlos. Ése fue el mismo año en que descubrí la equitación.

Cuando estaba sobre un caballo me sentía genial, no estaba preocupada de mí misma. Me daba igual lo que pensaran los demás. Simplemente, me divertía.

Después de salir de clase acudía a un centro de equitación que estaba cerca de casa, hasta que finalmente mis padres reunieron el dinero suficiente para pagarme unas clases y la matrícula en un campamento de equitación. No tenía muchos amigos en el colegio y me percaté de que en el centro de equitación había un grupo de chicas de mi colegio. Allí estaba yo, con mi pelo rizado, mi piel diferente y mi cuerpo grandote. Todas las chicas conocidas parecían ser guapas, rubias y ricas. Una vez más, yo no encajaba.

Ese verano, en el campamento de equitación, también estaba allí el mismo grupito de chicas rubias, guapas y conocidas, pero hablaban muy poco conmigo. También había algunos chicos negros, pero me ignoraban bastante, así que me sentía un poco aislada. Entonces apareció Tomás.

Tomás tenía dieciséis años y montaba muy bien a caballo. Era muy guapo y siempre que podía mostraba sus abdominales. Era negro y parecía haber cruzado la barrera de la popularidad. Todos los chicos lo conocían. Cuando montaba a caballo, todos se emocionaban; pensaban que era un tío genial.

Tenía un trabajo de media jornada en el campamento y era amigo de todos los chicos. Yo era muy fuerte, pues hacía gimnasia, y Tomás se dio cuenta. Cuando me pidió que estuviera en sus equipos de voleibol y de deportes de agua, me sentí fenomenal. Ése fue mi billete a la aceptación. Todos los chicos sabían que Tomás me había incluido en sus equipos.

De repente, había muchas chicas que me estaban invitando a sus casas. Yo era muy feliz. Empecé a sentirme muy bien conmigo misma y, por primera vez, fui aceptada por un grupo conocido. Fue la primera ocasión que sentí que estaba realmente «en» un grupo. Éstas me llamaban y yo podía sentirme libre para llamarlas. Siempre que Tomás estaba en el campamento, todo el mundo le rodeaba, pero con quien más hablaba era conmigo.

Un día, cuando estábamos todos en la playa, Tomás me estaba quitando arena de la espalda y me tocó el pecho. Yo me sentí un poco rara, pero no dije nada. Pensé que había sido una equivocación. Después de este incidente, Tomás empezó a prestarme mucha atención. Me felicitaba por lo fuerte que estaba y no hacía más que alabarme en los partidos de voleibol o en los juegos de agua. Me sentía muy especial. Mis padres se daban cuenta de lo feliz que era y estaban encantados con todos mis nuevos amigos. Las cosas iban bien.

Una noche hubo un fuego de campamento y cuando todos estábamos sentados juntos, en la oscuridad, Tomás empezó a susurrarme cosas al oído. Me decía: «Ojazos, ya sabes lo especial que eres para mí», «Vamos a hacer algo aquí, y no te preocupes por ello» o «Me gustas mucho». Entonces me tomó la mano y la puso encima de sus pantalones. Yo me sentí muy rara. Estaba paralizada y no sabía qué hacer. Pero él me dijo: «No pasa nada. Es nuestro secreto.» Y no paraba de decirme lo especial que era. Yo sabía que, probablemente, no era muy normal y me sentía rara, pero esperaba que no volviera a ocurrir otra vez.

Las cosas con Tomás empezaron a cambiar. Intentaba estar conmigo a solas siempre que podía. Si estaba sola con él en las cuadras, me empujaba al heno y me acariciaba los pechos. Después, me cogía la mano a la fuerza y la ponía en su entrepierna. Estoy segura de que dije que no, pero también estoy segura de que fue un no muy débil. Realmente, no puedo deciros exactamente en lo que pensaba, porque encontraba algo en lo que centrarme y desaparecía. Después de cada uno de nuestros encuentros, era muy simpático conmigo. Siguió intentando estar conmigo a solas, pero procuraba evitarlo. Mientras tanto, las chicas eran todas muy simpáticas conmigo, pero siempre estaban intentando que llevara a Tomás al parque, o a tomar un helado, o algo por el estilo. Tomás estaba más interesado en estar a solas conmigo, pero a veces también iba con el grupo. Con el tiempo, ahora veo que ésa era una forma de mantenerme enganchada.

El verano terminó y durante el curso escolar no vi a Tomás porque él estaba fuera, en un internado. En realidad, me escribió una carta diciéndome lo especial que era y que sentía si había hecho algo que me hubiera hecho sentir mal. Me dijo que me amaba. Yo le escribí una o dos veces, pero luego perdimos el contacto. Pasé aquel curso sintiéndome aceptada. Seguía sin gustarme mi cuerpo en desarrollo, pero hacía mucho deporte y tenía muchas amigas. Ya casi había bloqueado las extrañas caricias de Tomás, cuando llegó de nuevo el verano; el verano antes de entrar en secundaria.

Evidentemente, Tomás apareció ese verano en el campamento. En ese momento, yo ya estaba totalmente desarrollada y sentía curiosidad por los chicos. Sentía repulsión y miedo hacia Tomás, pero también una extraña excitación. Mis recuerdos sobre esto son borrosos, pero me parece que, a veces, también quería estar con él. Tenía esa fantasía de que él me amaba de verdad y que sería bueno conmigo. Pero cuando estábamos solos, lo único que quería es que le pusiera la mano en la entrepierna. Yo lo hacía, y él tocaba la mía.

Cuando estábamos a solas haciendo toda esta historia, yo ponía la mente en blanco, o me ponía a pensar en una película, o lo que fuera para alejar la mente de lo que estaba ocurriendo. Una vez me masturbó y en otra me forzó a realizar sexo oral. Yo hice como si estuviera flotando sobre mi cuerpo, pero después me sentí fatal. Por supuesto, nunca le conté nada de esto a nadie. Yo sabía que quería abrazarlo y besarlo, pero no quería hacer todo lo demás.

El rollo sexual con Tomás continuó durante todo el verano. No puedo explicar por qué nunca fui capaz de pararlo. Se convirtió en el comportamiento que se esperaba de mí. No fue hasta el final de ese verano, con trece años, cuando finalmente le dije a Tomás que parara. Las cosas habían llegado demasiado lejos. Aunque me alejaba mentalmente durante los encuentros sexuales, empecé a tener pesadillas; también quería hacerme daño a mí misma. Me pinché los brazos varias veces con imperdibles, pero me di cuenta que tenía que parar. Cuando le dije que quería contárselo a alguien, él me dijo: «Sabes que tú también has dejado que esto ocurra. Nadie te va a creer si dices que no te gustaba.» Tomás se dio cuenta de que hablaba en serio y de que ya no iba a ir con él. Entonces se volvió muy desagradable. O me ignoraba, o era muy sarcástico cuando me hablaba. El verano terminó y empecé secundaria. Estaba en un nuevo colegio con compañeros que no conocía. Me sentía horrible conmigo misma. Cuando me deprimí más, continué pinchándome los brazos con imperdibles y empecé a fumar marihuana. Me asqueaba mi propia sexualidad. Quería sentir dolor, o no sentir nada. Gran parte de este primer año lo pasé encerrada en una concha. No quería hacer nuevos amigos y, sin duda, no quería salir con chicos. Básicamente, me enterré a mí misma en los deberes del colegio. Volvía directa a casa después de clase o estaba un poco con los chicos a los que les compraba la marihuana. Estaba sola.

El verano después de este primer año de secundaria, hice un curso intensivo de inglés. El siguiente curso comenzó y empecé a sentirme mejor porque había tenido un buen verano. Nadie me había herido. Pero seguía siendo tímida, cohibida e insegura, y me culpaba por mis encuentros sexuales con Tomás. Ya no era tan autodestructiva; a veces quería hacerme cortes en los brazos, pero en vez de autolesionarme fumaba marihuana y la mayor parte del tiempo estaba enfadada.

Entonces, un día hubo una reunión sobre abusos sexuales. Yo fui a la reunión y eso cambió mi vida. Ahí fue donde conocí a Patti y comencé a recibir orientación. Empecé a ir a un grupo de supervivientes, y me di cuenta de que no era la única de la que habían abusado sexualmente. Algunas de las chicas que habían sufrido abusos sentían lo mismo que yo hacia los chicos: Tenía mucho miedo. No quería que los chicos me tocaran y, sin duda, no quería tener novio.

Todavía tengo mucho que superar. Siento mucha ira hacia mis padres. Son muy débiles. Estoy enfadada de que no se dieran cuenta durante mi temprana adolescencia de que estuviera tan deprimida. Estoy tan molesta de que haya tenido que buscar orientación psicológica, de que ellos nunca me hayan sugerido que busque ayuda, que ahora ni siquiera les digo que asisto al grupo de supervivientes. Patti me deja pagar la sesión a diez euros, y me hace sentir que es mi manera particular de curar y tratar mis asuntos. En mi familia todo va bien si no creas problemas. Siempre quieren que todo esté bien.

Sólo ahora estoy empezando a darme cuenta de que no tengo la culpa y de que, probablemente, Tomás también le hizo eso a muchas otras chicas. Me imagino que Tomás seguirá abusando de las chicas, pero todavía no me siento lo suficientemente fuerte para buscarlo y denunciarlo a la policía. Una de las mejores ideas que he tenido ha sido empezar a escribir un diario. El diario se ha convertido en mi amigo. Escribí este poema para esa niña de doce años que no pudo impedir que alguien le hiciera daño:

«Oye cómo se agita el viento
siente el dolor
ignora el frío
y esconde las marcas
cuenta atrás desde diez y haz como si estuvieras
en otro lugar
donde todos los colores del mundo se vuelven uno.
Ya se acabó
ya se va
puedo respirar
al menos hasta mañana…
Aunque quizás, entonces, me permita ver
que todo depende de mí.
Aprieto los puños
y digo la verdad.
Fue culpa suya, no mía.»

Mis pensamientos

Ésta fue la primera vez que Ágata contaba toda su historia. Se permitió remontarse hasta el origen y buscar cuándo empezó todo. Fue capaz de compartir toda su confusión y vergüenza por no impedir el abuso sexual. Decía que se sentía culpable y perdida por no saber cómo impedir que el chico la violara. Creyó al abusador cuando le dijo que a ella le gustaba tontear sexualmente y que, sin duda, quería que él le hiciera esas caricias, pero ahora es obvio que no quería que abusara sexualmente de ella. No quería tocar el pene de este chico, no se sentía bien. Tenía doce años. Se sentía insegura, rara y avergonzada con su cuerpo. Con Tomás se sintió empujada a un patrón de conducta y no sabía cómo pararlo.

Como Ágata no tenía padres o amigos en los que confiar, no se sentía segura contando lo que le había ocurrido. Ágata hizo lo que hacen muchas chicas: hacer como si se le hubiera olvidado. Intentó, sin éxito, suprimir los recuerdos de lo que había ocurrido y empezó a herirse con imperdibles. Cuando eso no la anuló, fumó marihuana.

A través del curso intensivo de inglés, Ágata fue capaz de sentirse de nuevo orgullosa de sí mima. Consiguió cierta fuerza interior y se dedicó a tareas escolares. Sin embargo, los veranos eran muy duros para ella; todas las asociaciones del estío —los olores, el calor— le traían recuerdos de lo que había ocurrido en el campamento.

Para soportar el abuso, Ágata se disociaba de su cuerpo. Se describía flotando por encima de su cuerpo, como si ella no estuviera participando en los encuentros. Tiene algunos lapsos de memoria porque borró los recuerdos muy bien. (Ya mencionamos, en el capítulo 5, que ésta es una de las maravillas que las chicas pueden hacer para sobrevivir.)

Muchas chicas se las ingenian para disociarse y poder aguantar su abuso. Se sienten atrapadas y sobreviven volando o paseando por encima de sus cuerpos. El hecho de disociar ayudó a Ágata a que lo que ocurría le pareciera menos «asqueroso». Pero no anuló completamente su dolor. Como vemos claramente en su relato, antes de que se lo contara a nadie, estaba sentada sobre un volcán de emociones que le condujeron a un comportamiento bastante destructivo.

Hay que señalar que Ágata sabía que lo de Tomás era un mal asunto. Desde el principio se sintió mal con los encuentros pero, como muchas chicas de su edad, actuó contra su intuición. Su impulso de conseguir la aceptación social era mucho más fuerte que su deseo de decir no. Por supuesto, el hecho de decir no a veces no funciona. Pero en muchos casos de abuso a manos de un conocido, el chico también está atravesando algún tipo de angustia adolescente. Si le dices que no, puede que se asuste y pare. Por supuesto, también se puede volver más insistente y amenazador. Es imposible de predecir. Tienes que confiar en tu instinto para saber si es seguro decirlo o no. Pero en cualquier caso, lo mejor es encontrar a un adulto de confianza a quien contárselo. Si el chico que abusa de ti asiste a tu colegio, puede que lo obliguen a ir a terapia o incluso que lo expulsen. Puedes pedir una orden legal de protección que le obligará a estar siempre a determinada distancia tuya. Lo importante es que tienes opciones.

Como vimos en la historia de Ágata, le llevó mucho tiempo contárselo a alguien, y todavía se lo tiene que decir a sus padres. No confiaba en que sus padres se fueran a poner de su parte. Una vez más, tienes que actuar de acuerdo a tu instinto. Una vez que Ágata empezó a hablar de su abuso sexual, se dio cuenta de que se pinchaba los brazos únicamente para sentir algo. Dejó de fumar marihuana como automedicación. Recibió una beca para una universidad de California y se siente preparada para comenzar un nuevo capítulo de su vida.

Violeta

Conocí a Violeta cuando tenía dieciséis años. Empezó a venir a nuestros grupos de supervivientes de abuso cuando estaba en secundaria. Durante las primeras reuniones estuvo muy callada. Yo sabía que era israelí y pensaba que, a lo mejor, no entendía bien el idioma. Pero después de algunos encuentros de grupo, empezó a hablar. Su inglés era perfecto. Violeta contó que se sentía culpable de desperdiciar el tiempo del grupo con su historia, ya que muchas de las chicas habían recibido abusos por su tío o su padre y su abusador era un chico en Israel. Dijo que se daba cuenta de que la mayoría de las otras chicas eran mucho más jóvenes que sus abusadores y que no tenían ningún poder, pero que su abuso, probablemente, era culpa suya por no saber cómo impedirlo.

Entonces empezó a contar su historia. Violeta explicó que había sufrido abusos a manos del hermano de su amigo, y que se sentía culpable y confundida sobre el abuso. Él la había forzado a realizar sexo oral cuando ella tenía trece años y ahora era muy promiscua. Sabía que tenía fama de ramera y sentía que se la merecía. El sexo y el que los chicos se aprovecharan de ella eran actividades familiares para Violeta. Pero ahora estaba empezando a darse cuenta de cuánta culpa y vergüenza estaba arrastrando. Ya era hora de hablar.

Historia de Violeta
La barca

Me trasladé a Estados Unidos cuando tenía catorce años. Nací en Israel y, cuando tenía doce, sufrí abusos sexuales a manos del hermano de mi amigo. Cuando llegué aquí ya hablaba algo de inglés, de modo que no resultó difícil adaptarme. De hecho, el año que viene iré a la universidad; un año antes.

Tengo que decir que, en general, siempre he sido bastante feliz. Siempre he sido una buena estudiante, tengo un trabajo de media jornada, tengo muy buenas amigas en el colegio y, además, practico atletismo en el equipo del colegio. Pero la experiencia del abuso está siempre latente en mi mente, independientemente de lo que esté ocurriendo. Todo el asunto sigue siendo muy confuso para mí.

Solíamos pasar los veranos en una pequeña ciudad, cerca de la playa. Un poco más abajo vivía mi amigo Isaac. Yo era hija única e Isaac, que era un año más joven que yo, era como mi hermano pequeño. Tenía un hermano mayor genial, Jacobo, que no iba mucho con los chicos más pequeños, pero recuerdo que a veces nos daba caramelos importados de Estados Unidos.

Los padres de Isaac tenían una casa grande. Era mucho más divertida que la nuestra, así que siempre estábamos allí. Un día, durante el verano en el que cumplí doce años, estábamos jugando a las cartas en casa de Isaac cuando entró su hermano y nos retó a jugar al póquer apostando prendas. Yo estaba nerviosa, pero como él me gustaba un poco, dije que sí. Cuando ya estaba en pantalones vaqueros y sujetador, dije: «¡Ya basta!» Su hermano se rió pero no me forzó.

Otro día, cuando yo estaba esperando que Isaac volviera de su clase de guitarra, Jacobo me invitó a que entrara en su habitación. Lo único que hicimos fue sentarnos y escuchar sus CD. Pero en otra ocasión que estuvo a solas conmigo me dijo que si podía tocarme el pelo, luego la nariz y los ojos. Me dijo: «Eres muy guapa.» Después me dio un paquete de esos caramelos importados. Durante un tiempo creo que siguieron pasando cosas por el estilo. Estaba nerviosa, pero no pasaba nada. Me dijo que, aunque era dos años más pequeña que él, yo le gustaba mucho.

Todas las chicas de la ciudad estaban enamoradas de Jacobo y yo admito que a mí me gustaba su atención. Pero recuerdo que cuando me metió los dedos por debajo de las bragas, aluciné. No quería gritar ni nada —eso habría sido muy embarazoso—, pero me quedé observando fijamente un cuadro colgado de la pared. Era una pintura en el que había agua y una barca. Él tonteó conmigo de esa manera varias veces, y yo memoricé completamente todo el cuadro: los colores, la barca, las partes donde la pintura era más gruesa y abultada. Recuerdo que quería estar en ese cuadro. Era mi escape. Yo no conté nada a mis padres de lo que estaba ocurriendo con el hermano de Isaac. Creo que no quería molestarlos. Yo tenía una relación bastante estrecha con mis progenitores. Mi padre había perdido su trabajo y mi madre trabajaba en dos empresas para mantenernos. No pensaba que mis problemas con Jacobo fueran realmente tan importantes. Así que intenté permanecer alejada de él. Pero echaba de menos a Isaac.

Al verano siguiente, cuando tenía trece años, Jacobo y yo jugamos muchas veces al póquer de prendas, y me excitaba bastante ver su pecho desnudo. Una vez, cuando terminó la partida, Jacobo le pidió a Isaac que fuera a por unos refrescos. Fue entonces cuando éste se abrió la bragueta y sacó su pene. Me dijo que se lo chupara. Yo empecé a llorar, pero él me empujó los hombros hacia abajo y me introdujo el pene en la boca. Recuerdo que me atraganté y que después vomité: encima de él, de mí y de mi ropa. Él me dio un empujón y me gritó, diciéndome que era una niña estúpida que no sabía hacer nada bien.

Me fui corriendo a casa y estuve mala toda la noche. Después de este incidente, no fui a casa de Isaac durante mucho tiempo. Pero al final, volví a ir otra vez. Ya sé que parece idiota que volviera. Jacobo me pidió perdón y me dijo que quería que fuera su novia, que no lo volvería a hacer. Yo le dije que no quería ser su novia. Él se encogió de hombros y se rió.

Pasaron un par de semanas y Jacobo me ignoraba. Pero un día que iba a su casa por un camino en el bosque, allí estaba él. Me dijo que quería que le practicara sexo oral. «No pasa nada —dijo—. Ya sabes, puedes hacerlo sin vomitar.» Yo tenía mucho miedo. Tenía una mirada sarcástica.

Después de este incidente, abusaba de mí de cuando en cuando, y la mayor parte del tiempo me alejaba de él. Estaba tan confundida... Seguía gustándome un poco, pero odiaba lo lejos que me estaba llevando y no sabía cómo impedírselo. Recuerdo cómo me empujaba los hombros hacia donde quería que pusiera la cabeza y la boca, y cómo, al final, aprendí a hacerle sexo oral sin atragantarme. Esto continuó durante el resto del año, hasta que cumplí catorce años y nos trasladamos a Estados Unidos.

Estaba contenta de irme de Israel y pensé que dejaba todo eso tras de mí. Sin embargo, los recuerdos empezaron a fluir de nuevo cuando empecé a ir a los grupos de la doctora Patti. O sea, no es que nunca me olvidara de lo que ocurrió ni nada por el estilo, pero empecé a darme cuenta de que todavía estaba muy afectada por ello. Estoy muy contenta de no volver a ver a Jacobo. Cuando pienso en todo lo que ocurrió, todavía no me lo puedo creer. En Israel nadie hablaba de cosas así.

Después de llevar un tiempo viniendo a los grupos, empecé a relacionar lo que ocurrió en Israel con parte de mi extraño comportamiento con los chicos en Estados Unidos. Por ejemplo: tiempo después de trasladarme aquí, empecé a salir con un chico y me pidió que le practicara sexo oral. Yo le complací, pero lo hice casi como si fuera un robot. ¡Fue más raro...! Después de este incidente, corté con él. Yo era una estudiante que sacaba matrículas, siempre preocupada por las notas; me inscribía en grupos académicos y me quedaba en casa los fines de semana, con mi familia, pero en lo referente al sexo no era una «niña buena». Nunca hice el acto sexual ni nada de eso, pero fui mucho más allá de donde quería llegar. Es como si tuviera una vida sexual —secreta, separada— que era distinta de lo que yo era en realidad en otros aspectos.

Cuando tenía quince años salía con distintos chicos. Sabía que me estaban utilizando, de modo que dejé de salir durante un tiempo; pasaba la mayor parte del tiempo sola. Después de empezar a ir al grupo y escuchar lo que contaban las otras chicas, me di cuenta de que no tenía por qué ser sexual con los chicos si no quería. En realidad, no quería estar con chicos. Me di cuenta de que no tenía la culpa de lo que me ocurrió con Jacobo, y el hecho de que hubiera ocurrido eso no significaba que debiera permitir que los chicos me empujaran más lejos de donde yo me sentía cómoda.

Al final, conocí a un chico de mi colegio y nos hicimos buenos amigos. Después de ser bastante amigos durante un año, empezamos a salir. Hace seis meses que salimos. Celebramos juntos mi decimoctavo cumpleaños. Es la primera relación sana que he tenido nunca. Es un chico maravilloso. También es israelí y lleva en Estados Unidos cinco años. Cuando nos hicimos más amigos, le conté lo de mi abuso sexual, y él me apoyó mucho y fue muy cariñoso. No me hizo sentir sucia ni nada de eso. No me presiona para que tengamos sexo; todavía no me siento preparada. Tiene detalles muy bonitos conmigo, como por ejemplo el día de San Valentín, que se coló antes de hora en el colegio y me puso un osito de peluche monísimo en mi taquilla. Nunca me fuerza a nada, y es muy sensible y amable. Pero a veces, cuando me toca los hombros, me quedo paralizada.

Por ejemplo, el otro día estábamos viendo un vídeo y vino por detrás y me abrazó; yo me asusté. Empecé a gritar como una histérica. Me doy cuenta de que todavía tengo disparadores que me recuerdan a Jacobo. A veces, mi cuerpo reacciona como si tuviera un trauma y mi mente no parece estar conectada con mi cuerpo. Pero mi novio es muy comprensivo.

Mis pensamientos

Violeta se ha esforzado mucho para tener una perspectiva y perdonarse a sí misma por el abuso a manos de un conocido que sufrió cuando era joven. Tiene un novio que la apoya y, con el tiempo, ha aprendido a confiar en él y a disfrutar de su compañía. Cuando Violeta vino por primera vez al grupo, era muy tímida y estaba asustada. A medida que pasó el tiempo, se fue atreviendo mucho más y ahora está más dispuesta a compartir sus pensamientos. Realmente, el hecho de verla en una relación sana con un chico ha servido de inspiración para otras chicas. Su novio la trae a la reunión y luego la recoge, y parecen realmente felices. Violeta también a traído al grupo a dos de sus amigas; otras dos mujeres que se criaron en Israel y sufrieron abusos de niñas. Violeta ha servido de modelo para muchas chicas.

«Sabía que tenía que pararlo, pero me paralicé y me guardé el orgullo en el bolsillo.»

Una superviviente de abuso por un conocido, de dieciséis años

El abuso a manos de un conocido se parece mucho a la violación en una cita, en la que la chica conoce a la persona que está abusando de ella y escoge estar con él; pero no elige ser sexual con él. Ni Violeta ni Ágata sabían cómo acabar con el abuso. Ambas eran chicas preadolescentes y las dos, vulnerables. Aunque ninguna de ellas quería una atención sexual, las dos sentían que las hacía especiales y estaban confundidas sobre si querían impedirlo. Ágata se sentía especial porque un chico conocido la «quisiera» y Violeta se sentía orgullosa de que este chico «guay» se fijara en ella.

He descubierto que las chicas que sufren abusos a manos de un conocido normalmente no hablan mucho con sus familias. No sienten que sus padres querrán o podrán ayudarlas o guiarlas. Sin duda, éste fue el caso tanto de la familia de Ágata como de la de Violeta. Puede que la familia de Violeta estuviera pendiente de ella, pero la preocupación de que pudiera suponer un estorbo hizo que ella no acudiera a ellos. Esto es algo muy común. Para una chica es muy duro hablar con sus padres de sexo y de sexualidad, especialmente cuando está confusa sobre si a lo mejor «se lo estaba buscando», le puede resultar muy incómodo hablarlo con sus padres.

Como con cualquier trauma, si has sufrido abuso a manos de un conocido y tienes miedo de decírselo a tus padres, puedes intentar llamar a una línea de atención telefónica o decírselo a un adulto en el que confíes (un profesor o un amigo, por ejemplo). También puedes escribir lo que ocurrió en tu diario. Puedes ensayar lo que dirías si tuvieras a alguien a quien decírselo hasta que encuentres la fuerza de contarlo. Aunque el abuso ocurriera hace muchos años, el hecho de escribir sobre él y de contárselo a alguien puede cambiar toda la situación de cómo te sientes. Recuerda: el abuso a manos de un conocido, incluso a manos de un chico que te guste, *nunca* es culpa tuya. No te lo merecías. Lo que te mereces es la ayuda para superarlo. Nunca es demasiado tarde para contar tu historia y curar tus heridas.

CAPÍTULO 10

La violación siempre duele

Violación a manos de un desconocido, violación en una cita, violación en grupo

«Yo no dejo que nadie se acerque. Me protejo a mí misma no permitiendo que nadie tenga acceso a los paneles de control.»

Una superviviente de violación, de dieciocho años

Durante los últimos diez años, más o menos, se ha escrito mucho sobre violación. Es fácil olvidar que fue hace veinte años cuando se abrió el primer centro de crisis de violación en Nueva York, en el hospital de San Vicente. Su fundadora, la trabajadora social Flora Colao, explica: «En esa época casi no se hablaba de violación, pero no hacíamos más que recibir a mujeres en el hospital a las que violaban casualmente; mujeres tan llenas de vergüenza y de temor que tenían miedo de contárselo a sus maridos o alguien cercano.»

Desde entonces, hemos avanzado bastante. Muchas personas, tanto mujeres como hombres, están esforzándose para que cambien las leyes. Las mujeres están escribiendo libros, canciones y poemas sobre la violación, y dirigiendo centros de crisis de violación y teléfonos de ayuda; les estamos muy agradecidos por sus esfuerzos. Sin embargo, la violación sigue siendo el crimen violento número uno contra las mujeres en Estados Unidos [1], y todavía queda mucho por hacer. Debemos concienciar a la gente del impacto de violación en las mujeres; debemos hacer que el crimen de la violación se vea y se oiga; y, finalmente, lo debemos prevenir.

Un ejemplo maravilloso de las formas en que las mujeres están haciendo que se escuchen sus voces proviene de la Brown University. En 1990, las estudiantes de Brown empezaron a garabatear los nombres de sus violadores en las paredes de los baños de mujeres. La atención que esto obtuvo hizo que Brown requiriera que todas las estudiantes de primer año participaran en un programa de educación paralelo contra el acoso sexual. Ahora muchas otras universidades también ofrecen programas de concienciación y autodefensa contra la violación, algunos voluntarios y otros obligatorios [2].

Tori Amos canta una asombrosa e inolvidable canción, *Me and a Gun,* sobre la experiencia de su violación. La canción describe cuando ella tenía diecinueve años y se fue en el coche con dos chicos que habían estado en su concierto. Aparcaron a un lado de la carretera y la violaron a punta de pistola. En la canción, que canta a capella, habla de cómo la idea de que nunca había estado en Barbados no hacía más que pasar por su mente mientras la violaban. Para ella, Barbados se convirtió en la metáfora de sobrevivir a una experiencia horrible.

Hubo tantas chicas que acudieron a ella después de sus conciertos, que decidió que tenía que hacer algo relacionado con la violación en América, y fue entonces cuando cofundó el Rape, Abuse, and Incest National Network (RAINN), la línea de ayuda telefónica más importante del país y, quizá, del mundo.

A lo largo de los últimos diez años, muchas mujeres también han escrito libros sobre sus experiencias de violación. Nancy Venable Raine, en *After Silence: Rape and My Journey Back*, habla del extraño caso de violación que le ocurrió cuando tenía treinta años. Raine fue a sacar la basura y dejó la puerta abierta. Cuando volvió unos segundos más tarde, un hombre la violó amenazándola con un cuchillo. Le llevó diez años poder escribir sobre ello; diez años durante los cuales la violación continuó obsesionándola.

Martha Ramsey, en *Where I Stopped: Remembering an Adolescent Rape*, dirige su mirada veinte años atrás para detallar la experiencia de ser arrastrada y violada en el bosque cuando tenía catorce años y de volver en bicicleta por la carretera. Veinte años después, todavía estaba obsesionada con la violación y necesitaba escribir sobre ella.

Finalmente, como sociedad, parece que «nos estamos enterando» de que las mujeres todavía corren riesgos, que la violación no es algo que se dé muy poco sino que es un hecho muy difundido. A pesar de que todos los libros que he mencionado tratan de violación a manos de un extraño, quizás el crimen de violación más incomprendido —tanto por el público en general como por las propias víctimas— sea la violación en una cita. Lo que hace la violación en una cita tan confusa es que las chicas piensan que lo deberían o podrían haber impedido. Y la realidad es que es una de las pocas formas de abuso sexual que puede ser prevenida. Por eso, uno de nuestros objetivos en este capítulo es darte algunos consejos para que te protejas de la violación en una cita. Y lo primero que hay que hacer es espabilarse y hacer frente a los peligros que pueden surgir al quedar con hombres jóvenes.

La violación es una epidemia

«Siento como si hubieran disparado a mi chaleco antibalas miles de veces, y yo intento aguantar, pero todo es un puto desastre.»

Una superviviente de violación en una cita,
de veinte años

Las adolescentes y las jóvenes entre dieciséis y veinticinco años corren mucho riesgo de ser violadas en una cita[3]. De hecho, una investigación realizada en un campus universitario nos dice que entre el 3 y el 25 por 100 de las universitarias experimenta o es amenazada con la violación en una cita[4].

Cuando dejas el hogar paterno para empezar la universidad o para trabajar, todavía estás tanteando el terreno. Estás descubriendo quién eres como ser sexual independiente y, aunque puede que quieras disfrutar de tu nueva libertad y te encante la idea de ir a fiestas por la noche si te apetece, también tienes que ser lista en lo relacionado con el sexo y los hombres.

Hay chicas que son más vulnerables a la violación en una cita que otras. Las adolescentes de las que abusaron de pequeñas y nunca se enfrentaron a ese asunto corren mucho más riesgo de ser violadas en una cita. Cuando abusan sexualmente de ti, y no consigues ayuda, el secreto de que alguien te violó sexualmente vive en ti y te puede carcomer. Puede que aún cargues con sentimientos de culpa o que te sientas sucia interiormente. Puede que sigas preguntándote: «¿Por qué a mí? Debo de haber hecho algo para que abusen de mí.»

Dependiendo del tipo de abuso que sufrieras, puede que también sientas que no vales para nada más o que, en cierto modo, te mereces que te traten mal. Muchas de estas ideas y sentimientos no serán conscientes, pero afectarán tu comportamiento y tus elecciones. Por eso es muy importante hablar sobre el abuso, escribir sobre él, entrar en un grupo de ayuda o encontrar un terapeuta. Aunque el abuso ocurriera hace años, puedes conseguir mucha ayuda del hecho de hablar sobre él con amigos o adultos de confianza.

Al hablar de él, empiezas a desarraigar ese secreto y todas las formas en que te puede estar empequeñeciendo, y tienes muchas más oportunidades de afrontar lo que surja en el camino, ya sean las señales de atención de una relación abusiva, la intención de seducción de un instructor o el intento de violación en una cita. Cuando empiezas a hablar y a buscar ayuda, tienes muchas más oportunidades de ser fuerte y de elegir relaciones sanas.

Obviamente, no todas las chicas que sufrieron abusos sexuales serán violadas al ser adolescentes o mujeres jóvenes, y no todas las chicas que son violadas en una cita sufrieron abusos cuando eran más jóvenes. Pero aquí hay, sin duda, una conexión importante y exploraremos esa conexión en profundidad —más adelante, en este capítulo— en las historias de Cristal y Azucena,

Todas vosotras que sois supervivientes de abusos sexuales y que estáis yendo ahora a la universidad o viviendo solas por primera vez, escuchar esto: el abuso que sufristeis no fue culpa vuestra. Nunca es culpa de la superviviente. El abuso sexual pocas veces se puede prevenir; en la mayoría de los casos no hay nada que una niña pueda hacer. Los niños están a merced de los adultos y, muy a menudo, el camino que ofrece menor resistencia es la aceptación. Pero eso no quiere decir que fuera culpa tuya. Tienes que creértelo.

Muchas, muchas chicas que sobreviven al abuso sexual, pero no tienen a dónde acudir, se vuelcan en las drogas y el alcohol en busca de consuelo. Encuentran formas de automedicarse; cualquier cosa con tal de evitar sentir el dolor de lo que ha pasado. Allí es donde yace su vulnerabilidad, porque las drogas y el alcohol afectan nuestra capacidad de discernimiento. No hay vuelta de hoja. Si sueles colocarte o emborracharte para insensibilizarte a ti misma de una experiencia anterior de abuso sexual, puede que seas menos apta de hacer las elecciones más seguras cuando tengas que volver a casa con un chico. Puedes pensar que no tienes voz, que el sexo es algo sobre lo que no tienes opciones, que tienes que aceptar lo que cualquier chico te haga. Puede que, a veces, ni seas consciente de que te hayan violado. Si alguien te obliga a tener sexo después de que tú digas no, puede que sientas que así tiene que ser. El abuso no curado, no reconocido, te puede hacer tanto daño que ni siquiera te des cuenta de que te mereces algo mucho, mucho mejor.

Si no has sufrido nunca abusos, ¿sigues corriendo algún riesgo?

Esperamos que las chicas que nunca han sufrido abusos también estén leyendo esto. Da igual que provengas de una familia muy cariñosa, da igual que tu padre, tus hermanos o tus tíos te apoyen mucho; tienes que entender que la caballerosidad no existe, especialmente cuando se trata de jóvenes. No puedes esperar que los chicos te protejan; no puedes contar con que ellos respeten tus límites y se paren cuando tú lo digas. Necesitas depender de ti misma.

En mi trabajo he hablado con cientos de chicos y te puedo contar lo que ellos me dicen: cuando una chica va hasta arriba de alcohol y está tonteando, éstos sienten que tienen el «derecho» al acto sexual. Así es como lo ven ellos, chicas: como un derecho.

Sé que esto suena duro. Conozco a mucha gente que me dice que no es justo que describa a todos los hombres como depredadores potenciales. Pero yo tengo que contar la verdad tal como la conozco. Si tienen la oportunidad —el momento justo, el lugar justo, y con la presencia de drogas y alcohol—, la mayoría de los hombres podrían forzar a una chica, especialmente si piensan que los han llevado ahí o que la chica «lo quiere».

Existen algunos jóvenes iluminados. Sabemos que hay algunos que hacen de voluntarios para escoltar a las jóvenes en el campus de la universidad. El problema es que todos los chicos ven las mismas películas y leen los mismos libros que el resto de nosotros. Son parte de la cultura machista que tiene sus Humbert Humbert, que creen que Lolita «lo estaba deseando» cuando sólo tenía doce años. Comparten la misma mentalidad cuadriculada, donde los chicos se ponen otra tachuela en su cinturón por cada chica con la que tienen sexo. Eso los hace muy machos. Esta violencia sexual contra las mujeres sólo cambiará cuando los hombres se unan a la lucha. De acuerdo con Donald G. McPherson, director ejecutivo de Sports Leadership Institute de la Universidad Adelphi de Nueva York, una organización dedicada a los jóvenes: «Los jóvenes y los hombres se deben comprometer en la lucha contra la violencia hacia las mujeres, porque son los hombres los perpetradores. Mientras sigan perpetuando la misoginia, habrá violencia contra las mujeres.»

Ahí es donde yace el peligro para las chicas. Puede que te guste parecer sensual, puede que quieras ser sexual y puede que un chico te excite, pero si no quieres tener sexo con él, no puedes esperar que él te respete cuando tú digas no. Tienes que estar preparada para esta mentalidad de derecho machista, que dice: «Me lo estaba pidiendo.» Por supuesto, tienes derecho a no tener sexo; tienes derecho a marcar tus propios límites. Puede que disfrutes los besos, las caricias y los abrazos, pero si no quieres tener sexo, no te emborraches o te coloques con un chico. Es difícil encontrarse con unas estadísticas precisas sobre violación y, por supuesto, fluctúan de año en año, pero el estudio que cada año lleva a cabo el National Crime Victimization, del Ministerio de Justicia de Estados Unidos, dice que la inmensa mayoría de las violaciones denunciadas ocurren entre conocidos. Tienes que ser lista y estar preparada para protegerte.

Por desgracia, hay un número creciente de féminas que culpan a las mujeres por la violación en una cita, por no haber sido lo suficientemente listas para impedirlo. También hay una gran reacción a toda la concienciación que se ha desarrollado en torno a la violación a lo largo de los últimos diez años, o más. Katie Roiphe, la hija de la feminista Anne Roiphe, ha escrito libros y artículos, y ha acudido a los medios de comunicación, con su mensaje de que si las jóvenes de las universidades son violadas es que se lo estaban buscando. Dice que es culpa vuestra. En su libro *The Morning After*, Roiphe lanza sus dudas sobre la idea de que las jóvenes quieran decir no cuando dicen que no. Afirma que el no, a veces, forma parte de la danza de acoplamiento y que no le puedes pedir a un chico que distinga la diferencia entre un no que quiere decir quizás y un no que quiere decir no.

Además, existe ese antiguo y horrible refrán: «Cuando la violación sea inevitable, relájate y disfruta.» Ese tipo de refranes únicamente alimenta las actitudes de la gente de odio a la mujer en referencia a la violación, en especial a la violación en una cita, y hace mucho más difícil cambiar la política social y la ley.

Todavía existen muchos malentendidos en torno a la violación. Existe confusión sobre en qué se diferencia del abuso sexual. Existe confusión entre la violación en una cita y la violación a manos de un extraño, y si una es peor que la otra. Existe confusión sobre si una chica tiene derecho a decir no al sexo después de que haya estado tonteando con un chico. Existe confusión sobre si te puede violar tu pareja íntima. Algunos, incluso, dicen que no es realmente violación en una cita si conoces a un chico en una fiesta y te enrollas con él, y luego él te fuerza a tener sexo.

Vamos a ser claras en esto: siempre que una mujer se resista a tener sexo, pero aun así la fuerzan a tenerlo, eso es violación o abuso sexual. Ya hayas dicho que no, hayas dado un empujón a esa persona, hayas gritado o hayas intentado salir corriendo, si te forzaron a tener sexo contra tu voluntad eso es violación.

Muchas chicas me preguntan que si las forzaron a tener sexo oral fue violación. En mi opinión, y en la opinión de otros profesionales, la respuesta es que sí. A pesar de que esto puede que no valga en un tribunal de justicia, porque la definición legal puede que seas más restrictiva, cualquier entrada sexual forzada és violación. Esto quiere decir que si alguien te introduce a la fuerza su pene en tu boca o te introduce algo a la fuerza en tu vagina o en tu ano, es violación. Veamos algunos mitos y realidades.

MITO: La violación y el abuso sexual es lo mismo.

REALIDAD: A pesar de que la violación puede ocurrir como parte de un patrón extendido de abuso sexual, también puede ser una experiencia puntual con alguien con quien hayas quedado, tanto con un conocido como con un desconocido. El incesto y otras formas de abuso sexual que se prolongan durante un tiempo implican una relación con el abusador, y normalmente continúa durante un período de tiempo. Generalmente el abuso sexual implica coerción, falsas promesas o algún tipo de seducción.

A pesar de que después de una violación puede que tengas el mismo sentimiento de violación, miedo y vergüenza que tendrías después de un largo período de abuso, ambas pueden dejar cicatrices emocionales distintas. El abuso sexual a manos de un conocido, a menudo lleva enmarañado vergüenza, culpa y responsabilidad. Algunas de las secuelas de la violación a manos de un desconocido pueden ser el miedo a lo no conocido, a la oscuridad, a estar sola y una desconfianza general de los desconocidos, mientras que el incesto causa una desconfianza general en las personas cercanas a ti y en las relaciones íntimas.

MITO: Puedes violar a tu propia novia o mujer. Eso no es violación.

REALIDAD: La violación sí ocurre entre novio y novia, entre marido y mujer. Los hombres que fuerzan a sus novias o a sus esposas a tener sexo están cometiendo una violación. Punto. Las leyes son un poco ambiguas y hay países en los que la violación dentro del matrimonio es legal, pero sigue siendo violación [5].

MITO: A veces las violaciones en una cita están relacionadas con el alcohol y las drogas, pero normalmente no.

REALIDAD: Según Robin Warshaw, en su libro *I Never Called it Rape,* se sabe que el alcohol y/o las drogas están involucrados en al menos el 75 por 100 de las violaciones en una cita [6].

MITO: Si una adolescente se acerca a un chico y quiere ser sexual, no tiene derecho a marcar una línea en el acto sexual y/o en el sexo oral. Si está flirteando mucho, «lo está pidiendo».

REALIDAD: Al igual que los jóvenes, las chicas tienen el derecho a disfrutar de su sensualidad y sexualidad, incluyendo enrollarse mucho, y aun así decir no al acto sexual y/o al sexo. Nadie tiene derecho a exigirle sexo a otra persona bajo ninguna circunstancia.

MITO: En la actualidad se denuncian la mayoría de las violaciones.

REALIDAD: Muy pocas violaciones se denuncian [7].

MITO: La violación va en contra de la ley, así que si denuncias una violación hay muchas posibilidades de que se haga justicia.

REALIDAD: Las leyes siguen cambiando continuamente y a la mayoría de los violadores los vuelven a dejar en libertad, incluso después de que los hayan arrestado muchas veces [8]. En octubre de 2004 fue aprobada el Acta de Justicia para Todos. Esta ley concede aproximadamente un billón de dólares de fondos, durante cinco años, para contrarrestar el atraso en los datos del ácido desoxirribenucleico (ADN), y mejorar la recogida y proceso de ADN para resolver más casos de abusos sexuales. Esta ley se conoce como «ley Debbie Smith», por una mujer que sobrevivió a una violación a manos de un extraño y luchó, cerca de quince años, para que se aprobara dicha ley.

MITO: Tener un lapso de memoria a causa del alcohol quiere decir que pierdes el conocimiento, así que no vas recordar siquiera de si fuiste violada.

REALIDAD: Es verdad que no vas a recordar nada de lo que ocurrió durante un lapso provocado por el alcohol, pero no pierdes el conocimiento. De hecho, estás completamente despierta todo el tiempo. Los lapsos debidos al alcohol son períodos de intoxicación en los que puedes parecer despierta y alerta, pero tu cerebro es incapaz de crear o almacenar nueva información y experiencias; en otras palabras, aunque tus ojos estén abiertos, no estás allí.

MITO: Las drogas para la violación en una cita son difíciles de conseguir.

REALIDAD: Las drogas para la violación en una cita son especialmente fáciles de conseguir. Se utilizan para incapacitarte y hacerte susceptible de ser atacada sexualmente, y pueden afectar a la memoria de forma parecida al lapso por alcohol. Con las drogas de la violación en una cita, que normalmente se ponen en la bebida y no tienen sabor, te desvaneces. Puede que te despiertes y tengas una extraña sensación de que algo ocurrió, o que no recuerdes nada. Además, no existe solamente una droga para la violación en una cita. El nombre común que pulula por las calles y en las universidades es «roofies», abreviatura de Rohypnol, pero deberías saber que las siguientes drogas también se pueden utilizar para producir un lapso de memoria y ejecutar una violación en una cita: Ativan, Xanax y Benadryl; todas ellas se encuentran normalmente en las universidades y se obtienen fácilmente.

MITO: La violación a manos de un desconocido es más traumática que la violación en una cita.

REALIDAD: Es imposible hacer generalizaciones como ésta. Toda violación es traumática. Las mujeres que son violadas experimentarán aproximadamente los mismos síntomas, tanto físicos como emocionales, independientemente del tipo de violación. La violación a manos de un desconocido puede que haga que a la mujer le dé miedo caminar sola o correr riesgos, pero la violación en una cita supone una mayor traición a la confianza. ¿Quién puede decir cuál es más dañina?

Diferencia entre la violación a manos de un desconocido y la violación en una cita

La violación a manos de un desconocido es horrible que deja a muchas mujeres aterrorizadas no sólo de los extraños, sino de todo tipo de relación. Puede hacer que te sientas desprotegida y no ayudada por la sociedad, al igual que las supervivientes de incesto se encuentran desprotegidas y sin ayuda de su familia.

La mayor diferencia entre la violación a manos de un desconocido y otras formas de abuso sexual es que, normalmente, el hecho de ser violada por un desconocido no te causa los sentimientos profundos de culpa y autoculpa que surgen con la violación a manos de alguien con el que tú estás de acuerdo en salir. Con la violación a manos de un desconocido es mucho más fácil entender que no fue culpa tuya, pero eso no elimina el profundo sentimiento de violación.

Otra diferencia con la violación a manos de un desconocido es que, en ésta, normalmente temes por tu vida. La mayor parte de los asesinatos se denuncian más en casos de violación casual a manos de un desconocido que en cualquier otra forma de abuso sexual entre personas que se conocen, ya sea incesto, violación a manos de un conocido o violación en una cita. Alice Sebold, en su libro *Lucky*, describe ver un lazo rosa para el pelo entre las hojas del suelo del túnel donde ella fue brutalmente violada por un desconocido cuando tenía diecinueve años. Se acordó de que una chica había sido violada y asesinada en ese mismo túnel y se sintió «afortunada» de salir con vida.

Una de mis pacientes tuvo una experiencia similar. Cuando fue violada a punta de navaja por un desconocido que se introdujo en su apartamento, lo único en que podía pensar era en su bebé. En esa época ella tenía veintiocho años y acababa de volver a casa de clase. Su hija estaba en la guardería. El violador, que la había amordazado y atado antes de violarla a punta de navaja, le dijo repetidamente que la mataría si no le complacía. Ella tenía más miedo de que la matara que de la violación en sí.

En el incesto, la mayoría de las chicas saben que no las matarán. Conocen a la persona que las está violando; tienen un contexto. En la violación a manos de un desconocido no hay un contexto, sólo miedo.

A pesar de que las estadísticas sobre la violación a manos de un desconocido son un poco mejores que las de cualquier otro tipo de abuso sexual —como ocurre con los otros tipos, la mayoría de las mujeres no quieren que nadie lo sepa—, la mayoría de los profesionales están de acuerdo en que la violación a manos de un desconocido se denuncia más a menudo que la violación en una cita o por un conocido, porque en éstas la autoculpa y la confusión sobre la responsabilidad que se puedan tener son factores que influyen para no denunciarlo.

¿Qué hacer cuando tienes que denunciar una violación?

Lo primero que tienes que hacer es *no* ducharte. Puede que te sientas totalmente mal por tener que esperar, pero si quieres que la policía tenga alguna evidencia de la violación no te puedes lavar. Intenta encontrar a alguna persona querida o amiga para que vaya a tu casa, esté contigo y te lleve al hospital. Una vez que llegues a la clínica, llamarán a la unidad de crisis de violación del hospital. Estos trámites pueden variar según el lugar en el que vivas, pero normalmente te verá un consejero/abogado de crisis de violación que te contará cómo es el proceso de examen, y estará allí contigo y a tu disposición durante el examen. Después, el hospital pedirá recoger lo que se podría llamar «prueba de la violación». Muchas chicas se ponen muy nerviosas ante la perspectiva de tener que pasar por todo esto y no saben cuáles son sus derechos. Ahí es donde te puede ayudar el abogado. Básicamente, nadie te puede forzar a que realices una prueba de la violación; el hospital no recogerá nada sin tu consentimiento. Tú eliges. El hecho de recoger la prueba de la violación no te obliga a poner una denuncia (aunque es recomendable); sólo recoge la evidencia, que puede ser extremadamente útil; en ocasiones, será necesaria si decides denunciarlo.

Si decides que te hagan el prueba de la violación, deberías saber en qué consiste. En primer lugar, recuerda que tienes derecho a que tu abogado y/o una persona querida estén presentes todo el tiempo. También tienes derecho a parar el proceso en cualquier momento.

¿Cuál es la prueba de la violación?

1. Te pedirán que te desnudes y una enfermera meterá en bolsas cada una de tus prendas de vestir —incluidas, por supuesto, tus bragas— para enviarlas al laboratorio de la policía científica.

2. Te peinarán el vello púbico para buscar vellos que no sean tuyos y recogerán muestras de tu vello púbico (diez o quince) para comparar.

3. Te examinarán para buscar manchas de sangre o de semen. Si se encuentran, se recogerán muestras.

4. Te harán un examen vaginal parecido al examen ginecológico rutinario. Una enfermera limpiará tu vagina y cerviz para tomar muestras.

5. Examinarán tus uñas para buscar sangre, pelo o tejido ajeno. Si la enfermera encuentra algo extraño, también te tomará muestras de entre las uñas. Puede que también corten un trocito de uña como muestra.

6. Examinarán tu boca para tomar una muestra de saliva.

7. Si denuncias penetración anal, puede que también te limpien el ano y tomen muestras.

8. La enfermera tomará una muestra de sangre para comprobar si hay infecciones y/o embarazo.

9. Finalmente, tomarán una muestra de tu cabello (diez o quince) [9].

Muchas veces, por diversas razones, se denuncian las violaciones sin realizar una prueba de la violación. Ya lo hagas o no, ya decidas denunciar la violación o cualquier otro abuso sexual, he aquí lo que puedes esperar del sistema judicial (los trámites varían de un país a otro, pero ésta es, más o menos, la secuencia de los hechos):

1. Un policía irá a visitarte para hacer un informe. Te pedirán que describas lo que ocurrió y al sospechoso. (Recuerda: la decisión de continuar o parar es siempre tuya.)

2. El policía continuará con la investigación y puede que hable con testigos y/o con la persona que te atacó, si pueden encontrar a esa persona. Dicha persona puede, o no, ser arrestada.

3. El policía enviará un informe al juzgado, que iniciará el procedimiento pertinente.

4. Si se hace un arresto, el defensor puede que pague una fianza.

5. Normalmente, el caso llevará cierto tiempo para juzgarlo.

No hace falta decir que esto es una información general. Si quieres saber más sobre la burocracia de procesar los casos de abuso sexual y de violación, puedes recabar información en los organismos oficiales del lugar o país en donde vivas.

Violación en una cita

Si estás andando por la calle, o montando en bicicleta en el parque, o durmiendo en tu casa y alguien te viola, no hay duda de que no hiciste nada para provocar esa violación. Con la violación en una cita ocurre algo totalmente diferente; tienes más alternativas de las que piensas. En la violación en una cita, normalmente, tienes el poder de prevenirla.

Muchas de mis pacientes han sufrido violaciones en una cita entre los dieciocho y veinte años. Las dos historias que a continuación oiréis ahora tenían diecinueve años cuando fueron violadas en una cita. La violación en una cita de Cristal fue su primera y única experiencia. Azucena fue violada en una cita después de ser violentamente violada por un grupo de conocidos cuando tenía catorce años. Ambas chicas han resurgido de esas experiencias y esperan que tú aprendas de sus historias lo importante que es cuidarte a ti misma. El hecho de entender que tienes el poder de protegerte a ti misma de la violación en una cita estando avispada, teniendo amigos que te apoyen y no colocándote o emborrachándote hasta el punto de que te afecte la toma de decisiones, te puede proteger de esta violación.

Cristal

Conocí a Cristal cuando tenía veintidós años y estaba a punto de licenciarse en una prestigiosa universidad. La habían violado hacía tres años, pero sólo recientemente se había dado cuenta de que fue una violación. De hecho, fue un amigo el que la convenció de que lo que había sufrido era una violación. Desde que la violaron había tenido una serie de malas relaciones con hombres que no la apreciaban. Vino a la terapia porque sentía que la violación que sufrió tres años antes le había afectado en las elecciones que hacía en sus relaciones. También quería enfrentarse a su historia de abuso emocional y descubrir por qué seguía eligiendo a esos perdedores.

Cristal no había sufrido abusos sexuales físicos de niña, pero sí había sufrido abusos emocionales, abusos verbales sexuales y abusos físicos de su hermano mayor. Cristal proviene de una familia judía. Es la menor de dos hijos; su hermano tiene siete años más que ella.

Sus padres trabajaban y dejaron que su hermano se encargara de ella desde los siete hasta los catorce años. Fue entonces cuando empezó a abusar de ella verbalmente. Se burlaba de ella constantemente. La estrangulaba, la pinchaba, hacía comentarios sexuales sobre sus pechos, sus caderas y su trasero; constantemente le decía que era un «una mierda horrible que no servía para nada». Al no hacer más que hablarle en términos sexuales y tocarle de manera inapropiada, su hermano le hizo creer que no tenía derecho a ninguna frontera, tanto física como emocionalmente.

Cuando era pequeña, Cristal no sabía cómo parar los comentarios sexuales o los tocamientos inapropiados. Por supuesto, delante de sus progenitores su hermano se comportaba como un ángel. Sus padres confiaban y alababan a su hijo, y cuando Cristal se quejaba de cómo la maltrataba, la ignoraban. Cuando Cristal empezó a quedar con chicos tenía quince años y parecía buscar jóvenes que la trataran mal. En retrospectiva, evidentemente, no es nada sorprendente. Eso es lo que conocía; eso es lo que creía que se merecía. Se metió en muchas situaciones en las que no debería haber estado, y durante su adolescencia luchó con el sentimiento de que no se merecía tener buenas relaciones.

Botón de avance rápido. Cristal ahora tiene veintidós años y se va a licenciar en una prestigiosa universidad como una de las mejores de su clase. Vino a verme porque tenía pesadillas recurrentes, una creciente ansiedad y sentimientos depresivos. Había tocado fondo y quería entender por qué seguía teniendo pesadillas con la violación.

En la historia de Cristal, ella cuenta lo que es irse de fiesta con los amigos y lo que puede ocurrir si te emborrachas o te colocas mucho, cómo tu discernimiento se puede nublar y cómo rápidamente la situación puede escalar y hacerse peligrosa.

Habla de cómo se emborrachaba para enfrentarse a sus inseguridades y a su muy humana necesidad de encajar; después, describe con mucho detalle la violación en una cita y sus secuelas. Ella no embellece en modo alguno su historia. Os aviso: es una historia violenta. Es el crudo relato de una violación en una cita.

Historia de Cristal
Y yo pensaba que él me quería

Yo tenía diecinueve años y acababa de terminar mi primer año de universidad. Un grupo de amigos íbamos a celebrar el final de los exámenes y el principio del verano. Nos citamos en una discoteca en la que nunca había estado. Me encantaba la magia que ocurría cuando entraba en una discoteca. Detrás de esas vigiladas puertas había otro mundo, un planeta con su propia atmósfera. Nuestro grupo, compuesto de tres chicas y dos chicos, entró en una sala donde había muchísima gente bailando y, a medida que mis ojos se fueron acostumbrando a la oscuridad, eché un vistazo a mi alrededor. Mi cabeza ya estaba aturdida de lo que había bebido esa noche.

Nuestro grupo se encontró con otros amigos a los que yo no conocía. Había gente por todas partes bebiendo, hablando y tomando pastillas. Yo me sentí atraída inmediatamente hacia un chico que se llamaba Miguel. Cuando me lo presentaron, me sonrió de una forma dulce e infantil, y me di cuenta de lo guapo que era. Tenía unos grandes ojos negros y una perilla estrecha. Yo le devolví la sonrisa, más por timidez que por otra cosa. Cuando salí de casa aquella noche pensé que tenía buen aspecto, pero cuando vi a la gente que había a mi alrededor todos me parecieron salidos de las páginas de una revista de moda. Me sentía como una farsante en esa escena aterciopelada y brumosa. Para llenarme de valor, pedí otra bebida en la barra.

El camarero, que era amigo de un amigo, nos preparó algo especial a cuenta de la casa. Normalmente no me gustan las bebidas dulces y afrutadas, pero tomé un gran trago. Para mi sorpresa, me pasó muy suavemente y tomé el resto muy rápido, antes de que mi mareo pudiera desaparecer. Quería ahogarme ahí, dejar que el líquido rosa se subiera a la cabeza mientras bailaba. El alcohol golpeaba mi cabeza como si estuviera llevando el ritmo y mis músculos ganaban confianza a cada sorbo. Miguel vino y bailó conmigo. Me agarró por la espalda y me balanceaba suavemente de un lado a otro, y mi cuerpo respondía. Era fuerte y mi ligereza se sentía segura en sus brazos. La música se hizo más rápida y empecé a moverme por mi cuenta en una neblina de sensual embriaguez. Miguel sonrió de forma sardónica. Yo estaba absorbida en el momento, en una cápsula, concentrada en mí misma. Para mí no existía ninguna realidad exterior. Todo lo que sabía en ese momento es lo bien que me sentía; bien, libre y ligera. Dejamos de bailar y pedí otra bebida; después, empezamos a hablar, y lo encontré tan encantador y divertido como guapo.

Entonces llegaron mis amigos. Luis, un chico con el que coincidía en algunas clases, vino y me rodeó con el brazo. Él era amigo de Miguel desde secundaria, y después de un tiempo Luis y Miguel dijeron: «¿Quieres que salgamos de aquí?» Yo dije adiós a mi amiga, que también estaba bastante borracha, y ella me guiñó un ojo; nos fuimos.

Ahora mi cabeza estaba dando muchas vueltas y empezando a perder el equilibrio. Debía haber escuchado lo que mi cuerpo decía: que me acompañaran a casa para poder dormir y que se me pasara la borrachera. Estaba borracha y cansada, pero confiaba en Luis y me atraía Miguel. Estaba muy mareada, tenía ganas de vomitar e iba dando tumbos, pero seguía pensando que estaba bien. Miguel y Luis me agarraron por los brazos y me levantaron; estuvimos ahí, de pie, enfrente de la discoteca, esperando un taxi que nos llevara a casa.

Lo siguiente que recuerdo es que estaba en mi cama sin tener ni idea de cómo había llegado allí. Mi cabeza parecía un enjambre de abejas y, cuando abrí los ojos, vi a Luis agachado encima de mí. Me besó —el sabor seco y de alcohol de su saliva mezclándose con la mía—, pero estaba mareada. No estaba excitada. No podía sentir nada. Después, tan pronto como había empezado, Luis dejó de besarme. Apartó su cara de la mía y me volvió a mirar. Miguel vino, y dijo: «Lo siento —a medida que empezaba a bajar por mi cuerpo—. Tengo que comerte.»

Estaba tan confundida que las palabras no significaban nada para mí. No podía responder. Entonces apareció Luis por encima de mí. Podía sentir cómo apartaban mis piernas y cómo Miguel metía la cabeza entre ellas, mientras Luis introducía su lengua en mi boca. Mi cuerpo estaba adormilado y no sentía nada, como si me hubieran cortado las terminales nerviosas. A medida que la niebla de la borrachera empezó a aclararse, me di cuenta de lo que estaba ocurriendo. Con la poca fuerza que tenía, me levanté, me alejé de ellos y corrí al baño. Estaba llorando histéricamente cuando Luis entró. «¿Qué pasa, guapa?», me preguntó. Yo no podía dejar de llorar, no podía hablar; mi cuerpo temblaba mientras intentaba hablar. Yo intentaba explicarle que no sabía lo que estaba ocurriendo, que estaba borracha y no quería hacer eso. «No llores, niña; no llores. Pensaba que te gustaba Miguel. ¿De verdad quieres que paremos?» Le dije que sí con la cabeza, de repente y agotada; él dijo que bueno, y me dejó sola en el baño. Lo siguiente que recuerdo es que estaba tirada en el baño, sola, con los ojos cerrados y que había perdido el conocimiento otra vez. Mi cuerpo era plomizo, demasiado pesado para moverme, y no estaba segura de dónde me encontraba. Ahora el alcohol parecía más denso en mi flujo sanguíneo, moviéndose lentamente como un jarabe, desorientándome. Antes de que pudiera darme cuenta de dónde estaba, sentí que me quitaban la ropa interior.

Al darme cuenta de que no era un sueño, abrí los ojos y descubrí que Luis se había ido. Me habían arrastrado fuera del baño y dejado en el suelo de la habitación, y Miguel estaba arrodillado enfrente de mí. Estaba levantando mis piernas y poniéndolas a su alrededor, y me estaba introduciendo el pene. Yo estaba cansada, estaba paralizada. Me sentía como una muñeca de trapo, una criatura flácida sin esqueleto ni voluntad propia. Parecía como si él me estuviera partiendo en dos. Me estaba resquebrajando entre el aturdimiento y el dolor, y le pedí que parara. Abrí la boca para decir no, pero él metió a la fuerza su lengua en mi boca. No dejaba de golpearse contra mí. Yo me desmayaba y me volvía a despertar, incapaz de estar despierta. Seguí intentando quitármelo de encima, seguí gritando y luchando, y llegó el momento en que pude escaparme.

Corrí a la cocina y me escondí detrás de la nevera. Estaba allí acurrucada, temblando como un animal asustado. Me siguió y tiró de mí desde detrás, levantándome como una pluma e introduciéndome de nuevo, a la fuerza, su pene. Me apoyó contra la encimera, moviéndome arriba y abajo como una batidora y golpeando mi espalda contra los azulejos. Finalmente me llevó de nuevo a la cama para terminar lo que había empezado. Me di cuenta de que no iba a poder escaparme y casi deseé que mi cuerpo se quedara sin fuerzas para poder desaparecer. Cuando terminó, se dio media vuelta. Yo pude ponerme de espaldas y dormir. Me desmayé de miedo, cansancio y susto. Cuando desperté, hacía tiempo que había amanecido y oí ruidos en el apartamento. Me encontré a mí misma en el suelo. Miguel estaba en el borde de la cama. Parecía corpulento y violento, malo e indiferente. Se estaba poniendo los zapatos.

Me preguntó: «Oye, ¿me prestas una camiseta?»

Yo le miré durante un minuto, confundida, antes de levantarme del suelo. Revolví los cajones hasta que encontré algo que le quedara bien. Me dio las gracias sin apenas mirarme. De repente, me sentí avergonzada. Él siguió vistiéndose. Me sentí estúpida, patética y asustada a la vez. No era, en absoluto, amable ni simpático. Recogió su mochila del suelo, repleto todo él de ropas desperdigadas; la ropa que yo llevaba el día anterior.

«"Ta" luego», dijo, cerrando la puerta con un portazo.

Me quedé un momento mirando la puerta, asombrada de que hubiera desaparecido tan rápido. De repente, las lágrimas brotaron de mis enrojecidos ojos. Yo olía a tabaco, tenía la boca seca y pastosa, y tenía magulladuras en la vagina; me escocía y sangraba. Tenía sangre seca por las piernas. Los restos de alcohol me daban náuseas. Me dolían la parte interior de los muslos y la inferior de la espalda. Tenía magulladuras en el pecho y en las piernas. Me arrastré a la cama, intentando pensar en lo que había ocurrido. Lo único que quería es que alguien me dijera que no pasaría nada y que me abrazaran con ternura. Me eché la sábana por encima y me quedé así durante mucho tiempo, hasta que al final me dormí, llorando.

Me llevó mucho tiempo reconocer lo que había ocurrido. Incapaz de afrontar la verdad, me decía a mí misma que había sido «rechazada» por un chico al que llevé a casa y al que le gustaba el sexo salvaje. Eso era algo mucho más fácil de digerir que el haber sido violada en una cita. Nunca le conté mi experiencia a nadie. Básicamente, guardé el incidente en un lugar recóndito de mi mente. A veces me encontraba con Luis, pero él actuaba como si nada hubiera ocurrido.

Más o menos un año después del incidente, le estaba contando lo que me pasó a un amigo cuando éste dijo: «¡Cristal, a ti te violaron!» Puedo decir sinceramente que hasta entonces no había caído en la cuenta. Me habían violado en una cita.

Tres años después del incidente, con veintidós años, comencé la terapia. No sabía por dónde empezar. Así que empecé a rememorar el abuso que había experimentado a manos de mi hermano. Empecé a darme cuenta de que había creído sus mentiras; había creído que nadie me quería, así que era susceptible a cualquier atención que me prestaban. Ahora pienso que esa noche seguí bebiendo porque estaba insegura y quería gustar a Miguel. Vine a la terapia porque sabía que tenía que cambiar. Me encontraba insegura con la idea de licenciarme y de encontrar un trabajo; estaba teniendo pesadillas, y mi terapeuta dijo que tenía que quererme a mí misma antes de comprometerme en ninguna relación.

Durante los últimos dos años, mi terapia ha supuesto un viaje a algunos lugares a los que no quería ir. Pero me estoy dando cuenta que cuanto más hablo del abuso que sufrí en mi niñez a manos de mi hermano y de la falta de apoyo de mis padres, más capaz soy de dejar de echarme la culpa. Cuando somos pequeñas, tenemos muy poco o nada de control sobre las violaciones de nuestras familias —verbales, sexuales o físicas—, pero cuando somos mujeres podemos elegir amigos y amantes que no nos traten como hicieron nuestras familias.

Desde entonces he aprendido que tengo límites. He aprendido que es mi responsabilidad, y de nadie más, asegurarme de que la gente me respete. Cuando era niña no podía controlar mi destino. No podía conseguir que mis padres vieran la desmoralización que sufrí a manos de mi hermano. Pero como adulta elegí estar al lado de buenas personas. No tengo que hablar con mi hermano. Puedo limitar el tiempo que paso con mis padres si ellos no me ayudan. De forma lenta pero segura, estoy olvidando mi violación. Estoy aprendiendo que me merezco más. He empezado a curarme.

Mis pensamientos

Cristal quería compartir su historia para hacer que otras jóvenes evitaran incurrir en el error que ella cometió. Quería que las chicas supieran que no se deben emborrachar o colocar hasta el punto de hacerse vulnerables al peligro. También aprendemos de su historia que, a veces, las mujeres no se cuidan unas a otras.

Como ella misma nos dice, Cristal no tenía una elevada autoestima y, aunque no la violaron físicamente cuando era pequeña, el tormento que sufrió del abuso físico y emocional por parte de su hermano la convenció de que ella se merecía muy poco en las relaciones. No es de extrañar que Cristal respondiera a la atención de estos dos chicos. Después de todos estos años en que le habían estado diciendo lo fea que era, una mísera migaja de atención positiva le hizo sentir muy bien.

Recordarás que ella sabía, a medida que se emborrachaba, que no estaba en posesión de todas sus facultades, pero confió en su «amigo» Luis. De hecho, bebió tanto que perdió el conocimiento, y continuó recuperándolo y perdiéndolo durante la violación. Estaba tan avergonzada que ni siquiera quería echar la culpa de la violación a Luis o a Miguel; para ella era más fácil decirse a sí misma que había sido rechazada por Miguel.

He visto a muchas otras chicas que se han culpado a sí mismas por la violación en una cita. Se imaginan que ya son lo suficientemente adultas como para ser capaces de controlar la situación. Por eso, en los campus universitarios la violación en una cita es un gran problema. Durante los últimos diez años, la violación en una cita dentro del campus de la universidad se ha identificado como el problema número uno, haciendo que tanto ésta como la violación a manos de un conocido ocupen los primeros puestos de la lista de crímenes violentos contra las mujeres en los campus universitarios. Y a pesar de que en los últimos años hemos hecho un gran esfuerzo para sacar este crimen a la palestra, todavía sigue siendo un gran problema.

Muchas chicas de la universidad están probando su nueva libertad; quieren salir, emborracharse y pasárselo bien; puede que les guste el chico que les acompaña a casa. Pero eso no significa que estén pidiendo que las violen. Si una chica se resiste o dice que no, o intenta escapar, y el chico la somete por la fuerza, eso es violación. Todo lo que se haya escrito en el mundo en contra de esto no cambia este hecho.

Hazte algunas preguntas: ¿se diferencia mucho la historia de Cristal de lo que podría haberte ocurrido a ti en una noche que estabas de fiesta? Tú y tus amigas, ¿os vigiláis unas a otras? ¿Estás pendiente todo el tiempo de tu copa para ver que nadie la manipule? Si hay alguna ocasión en la que puedas evitar la violación, ésa es la violación en una cita.

Violación a manos de un conocido, violación de grupo

«Corre, llama a los polis
me acaban de follar
me han dado una pedrada
mi cuerpo está paralizado
una banda de tíos me acaba de dejar
tosiendo esta maldita canción

cómo podía quejarme sin una lucha
era débil y me tenían muy bien atada.»

Una superviviente de violación en grupo,
de veinte años

En la historia del capítulo 9 sobre la experiencia de Ágata de ser manipulada y conducida a una relación abusiva por un instructor de un campamento de verano, vimos la diferencia entre abuso sexual a manos de un conocido y el incesto. En este capítulo hemos estado hablando de algunas de las diferencias entre violación a manos de un desconocido y violación en una cita. Pero existe también una diferencia entre violación por un conocido y violación en una cita.

Normalmente, la violación a manos de un conocido hace referencia a la situación en la que alguien que conoces te viola, pero no durante una cita. De hecho, no *elegiste* salir o estar a solas con esa persona. Puede que hayas terminado con él después de haber estado fuera con un grupo, pero que no tuvieras nunca la intención de estar a solas con él. Por supuesto, en un nivel básico, la violación es violación, pero ser violada después de elegir estar con un chico es algo muy diferente a ser violada por un chico por el que, en principio, nunca has tenido interés ni te has sentido atraída. Lo primero es más confuso y, realmente, puedes empezar a cuestionar tu capacidad de juicio. Lo segundo es terrible, de una manera muy diferente a cuando te ataca un desconocido. Sin embargo, la violación a manos de un conocido puede ser igualmente traumática.

Azucena

Cuando Azucena fue violada por algunos chicos de su colegio no sabía ni siquiera cómo se llamaban. Sólo los había visto por los pasillos del colegio. Una chica la había llevado a encontrarse con ellos en un parque y, después, la dejó allí con esos chicos a los que no conocía.

Azucena, entonces, sólo tenía catorce años. Creció en San Francisco, en la lujosa zona residencial de Pacific Heights. Su padre era muy nervioso; un banquero y un hombre de negocios de éxito. La hacía sentir inútil con sus críticas fulminantes. Se esperaba de ella que sacara todo sobresalientes y que fuera muy buena en los deportes. Él también intimidaba a su madre y a su hermano pequeño. Azucena nunca buscó ayuda en su madre; sólo sentía pena por ella. Desde que era muy joven, Azucena aprendió todo lo que podía para ser perfecta. Hablaba con suavidad, y era siempre dulce y agradable.

Cuando tenía once años y su hermano ocho, sus progenitores tuvieron un divorcio muy complicado. Su padre fastidiaba a su madre con el dinero y ésta se hundió en una callada depresión. Su hermano se volvió dependiente y requería atención de sus dos padres, y Azucena, como era la niña buena, pasó a un segundo plano. Casi nunca veía a su padre y, prácticamente, se volcó en los deberes del colegio y en el equipo de atletismo.

A través de la turbadora historia de Azucena aprendemos cómo la baja autoestima de sí misma y el hecho de ocupar un segundo plano en la familia puede hacer a una chica vulnerable a la violación y a los trastornos alimenticios. De nuevo, una llamada de atención: esta historia es brutal.

Historia de Azucena
Tenía miedo de que me fueran a matar

Cuando tenía veinte años y fui a terapia, me sentía como una idiota. ¡No sólo me habían violado una vez, sino dos! La primera vez no tenía ni idea de nada, pero cuando tenía diecinueve años debería haber estado más espabilada. En realidad, sabía más. Sabía que debía dejar de beber después de la quinta copa, pero yo soy insegura y la bebida hace que me relaje, así que continué. Un gran error. Yo soy lo que algunos chicos llaman un engendro. Una forma no muy bonita de decir que soy medio china (mi madre es china) y medio católica irlandesa (por mi padre). Tengo la piel bastante clara para ser asiática y el pelo castaño claro. Yo lo llamo marrón ratón. Siempre me he sentido como una especie de monstruo, sin encajar nunca ni con los niños asiáticos ni con los blancos.

Mi colegio era mayoritariamente para niños ricos y blancos. Yo siempre me sentí fuera de lugar. Creo que podríais decir que sigo sin tener una buena imagen de mí misma. La gente siempre me está diciendo lo flaca que estoy, pero no estoy de acuerdo. Pienso que estoy demasiado gorda. De todas formas, estoy intentando cambiar esos pensamientos. El atletismo me ha ayudado siempre a sentirme fuerte y centrada, pero cuando empecé a correr para perder peso desapareció parte de la diversión que suponía hacer deporte. También estoy trabajando en eso.

Siempre he sido una niña tímida. Cuando mis padres se separaron tenía doce años y sentí un gran alivio. Mi padre tenía la habilidad de asustarme un montón con sólo entrar en la habitación. Nunca me pegó ni nada por el estilo, pero era una persona triste, severa y muy crítica. Mi madre es encantadora. Yo estaba realmente orgullosa de ella por romper con mi padre y volver a la universidad con treinta y cinco años. La primera vez que la vi hacer frente a mi padre fue cuando le pidió el divorcio,

De modo que allí estaba yo, una niña tímida de doce años sin muchos amigos. Pasaba la mayor parte del tiempo sola, dibujando en mi cuaderno o escribiendo en mi diario. Ese año me dediqué prácticamente a ayudar a mi madre en casa y a acostumbrarme al hecho de no tener a mi padre cerca, atemorizándome, y mi madre pasaba mucho tiempo tranquilizando a mi hermano. En el curso siguiente, encontré a otra chica de mi mismo curso en el equipo de atletismo; se llamaba Inés Díaz. Ésta era todo lo que yo no era. Era descarada, divertida y segura de sí mima; incluso salía con chicos más mayores que ella.

Yo quería tener amigos, quería que me invitaran, así que cuando Inés Díaz, después de atletismo, me dijo que fuera con ella a la cafetería a por un sándwich, le dije que sí. Después, Inés me sugirió que fuéramos a ver a algunos chicos que conocía de Speedway Meadow, dentro del Golden Gate Park. Éste es un parque enorme al suroeste de San Francisco. Bordea más de cuarenta bloques de casas en dirección al océano y tiene muchas zonas diferentes: bonitos estanques, caminos, praderas y arboleda.

Nos encontramos todos en la pradera, al atardecer. Al principio, me divirtió estar con estos chicos, aunque me sentía fuera de lugar. Sólo los había visto por los pasillos del colegio. Eran todos futbolistas conocidos del equipo universitario y parecían simpáticos.

Después de un rato, Inés dijo que tenía que irse. Cuando intenté marcharme con ella, uno de los chicos me tiró al suelo. Muy raro. Yo pensé que había sido un accidente, pero entonces Inés se volvió, me vio en el suelo y me dejó ahí. Entonces fue cuando tuve miedo.

Cuando me estaba levantando, otro chico me agarró del brazo. Yo intenté soltarme. Les dije que me marchaba, pero uno de ellos se quitó un calcetín y me lo introdujo en la boca. No podía emitir ningún sonido. Creo que estaba paralizada.

Los tres chicos me arrastraron a una zona boscosa apartada. Ya había oscurecido. Uno de ellos me tiró al suelo, otro me quitó los pantalones y el tercero se bajó la cremallera de los pantalones e introdujo su pene a la fuerza dentro de mí. Recuerdo que los chicos se estaban riendo. Entonces uno de ellos empezó a masturbarse —su esperma me goteaba en la cabeza— mientras le tocaba el turno al tercero. A pesar de que todo esto probablemente sólo duró unos quince minutos, me parecieron horas.

Cuando terminaron, me amenazaron con matarme si contaba algo. Me dijeron que harían daño a mi hermano pequeño y a mi madre. Recitaron de memoria mi dirección y mi número de teléfono, y me dijeron que habían estado vigilándome «todo el tiempo». Después, me dejaron con el calcetín dentro de la boca, los pantalones y las bragas desgarrados y sangrientos, y la cara y el pelo manchados. No sé muy bien cómo me levanté y llegué a casa, pero lo hice. Me alegré de que nadie estuviera en casa cuando llegué. Todavía aturdida, me fui directa a la ducha. Dentro de la ducha, finalmente, empecé a darme cuenta de lo que había ocurrido. Empecé a llorar y me senté en el suelo de la ducha, meciéndome hacia delante y atrás.

Cuando mi madre y mi hermano llegaron a casa un poco después, ésta me llamó por las escaleras. Rápidamente me puse algo y bajé con ellos como si nada hubiera ocurrido. Mi madre me preguntó por un arañazo que tenía en la frente, pero sólo le dije que me había caído al hacer atletismo y que no se preocupara. Mi madre, como no tenía ninguna razón para sospechar nada, me creyó.

Esa noche no pude dormir. Sentía como si estuviera saliendo de mi piel. Me veía las heridas y recordaba cómo ellos empujaban una y otra vez hasta que me raspaban la piel. Habían atrapado toda mi esperanza y me la habían arrancado. Cuando mi madre vino a darme un beso de buenas noches, casi me muero del susto. Le dije que me sentía enferma.

Esa noche me desperté con un sudor frío. Tenía fiebre, y mi madre estuvo de acuerdo en que me quedara en casa durante un par de días. Yo estaba aterrorizada de pensar en ir al colegio. Me aterrorizaba que los chicos me encontraran por los pasillos y me atormentaran. Creí que iban a volver a por mí de nuevo y tenía miedo de que, si lo decía, vinieran a por mi familia. Después de la brutalidad de la violación en grupo y de su risa, me imaginé que serían capaces de cualquier barbaridad, incluso de matar. ¿Yo qué sabía? Sólo era una niña.

Aunque tenía miedo de volver al colegio, quería ver a Inés Díaz y decirle: «Menuda cabrona eres por dejarme ahí, en el parque, con esos mal nacidos.» No conocía si ella lo sabía o, incluso, lo había planeado. Porque del modo que se volvió y me miró, y después se fue en su bicicleta... Pensé que ella sabía que me iban a hacer algo. Estaba ahí, en la cama, pensando en sus risas y sonrisas enfermizas, en sus escupitajos, en cómo se masturbaban... y no hacía más que llorar.

Mientras tanto, mi madre, por su parte, siempre lloraba antes de acostarse. En la cultura asiática, divorciarse se considera algo muy vergonzoso y su familia la había repudiado y se había puesto de parte de mi padre. Sin duda, no iba a apesadumbrar a mi madre con mis problemas. Creía que yo era su salvavidas.

Finalmente, el viernes fui al colegio. Vi a Inés en los pasillos y me dijo «hola» como si nada hubiera pasado. No me lo podía creer. Yo no paraba de temblar, pero reuní el coraje necesario para preguntarle por qué me había dejado sola con esos mal nacidos en el parque. Ella me contestó: «¡Ah, ellos me dijeron que se lo habían pasado muy bien contigo!» Eso me dejó helada. Desde entonces, evité a Inés. No sabía en quién podía confiar.

Pasé meses paralizada pensando que esos chicos me podían hacer algo a mí o a mi familia si lo contaba. Me retiré a mi pequeño infierno. No hablaba nunca con Inés Díaz; en realidad, evitaba a todo el mundo. Siempre miraba por encima del hombro a ver si estaban esos mal nacidos e intentaba siempre salir de clase con mis compañeras y no caminar nunca sola por los pasillos.

Los chicos me vieron un par de veces. Una vez, incluso, me siguieron hasta casa, burlándose y susurrándome: «Mejor que no se te ocurra decir nada, ramera.» Un día, cuando los pasillos estaban desiertos, me acorralaron en mi taquilla. Me empujaron contra la taquilla y me amenazaron de nuevo, diciendo que me estaban vigilando a mí y a mi hermano pequeño, y que debía tener cuidado. Cuando ese curso terminó, parece que me dejaron en paz. ¿Quién sabe? A lo mejor, para entonces, ya habían violado a otra chica. Pero seguía estando asustada todo el tiempo.

Me sentía fuera de control. Ahora hacer atletismo ya no me bastaba. Necesitaba controlar más y lo único que no podía controlar era la comida. Así que empecé a contar cada caloría de lo que ingería y vomitaba después de casi todas las comidas. Me compraba libros de cocina y leía el contenido calórico de todos los alimentos, e ingenié formas para hacer como si me hubiera comido lo que estaba en el plato; lo colocaba en servilletas en la mesa. Y creo que este pequeño campo de control me salvó de volverme totalmente loca.

Mientras tanto, mi madre seguía sin tener ni idea de lo que me ocurría. Mi padre estaba siempre fuera, por negocios, así que casi no lo veía, y mi hermano tenía muchos problemas en el colegio, por lo que nadie me prestaba atención. Cubría mi cuerpo con dos capas de ropa y, de esta manera, me imagino que nadie sabía realmente lo flaca que estaba. Tampoco se dio cuenta nadie de que vomitaba después de cada comida. Sé que suena terrible, pero al vomitar me parecía que me libraba de todo lo malo que había construido dentro de mí.

Tenía miedo y estaba atormentada por la violación, pero nunca le conté a nadie lo que me había ocurrido. Seguí yendo bien en el colegió, evitaba a todo el mundo y finalicé el curso.

Al otoño siguiente empecé el nuevo curso y en nuestro colegio entraron cerca de treinta chicos nuevos de otra ciudad. Me uní al grupo universitario de atletismo y empecé a hacerme amiga de dos nuevas chicas del colegio. De cuando en cuando, seguía viendo por los pasillos del colegio a los chicos que me violaron —que estaban en el último curso y pensaban que dirigían el colegio—, pero habían dejado de prestarme atención. Seguía estando muerta de miedo, pero encontré un gran consuelo en estar obsesionada con la comida, el peso y las calorías.

Al año siguiente fue cuando mi cuerpo me empezó a traicionar. Aunque empecé a tener el período cuando tenía doce años, con mis problemas alimenticios se cortó. Pero ahora mis pechos habían empezado a desarrollarse y los chicos me miraban. Eso me hizo sentirme totalmente ansiosa. Cada vez que un chico me miraba o intentaba salir conmigo, me daba pánico. Procuraba no ir nunca sola por los pasillos. Trataba de estar siempre con alguna de las chicas nuevas. Tenía una reputación en el colegio de persona rara que odiaba a los chicos. Incluso algunos empezaron a decir que era homosexual. A mí eso no me importaba mucho, pero las miradas de los chicos sí lo hacían, así que comía aún menos. A pesar de todo, nadie se dio cuenta. Mi madre estaba ocupada con sus estudios en la universidad y la mayoría de mis amigas estaban tan obsesionadas con las calorías como yo.

En esa época, mi pequeño mundo giraba en torno a comer y purgarme, en torno a las calorías y a buscar carne que me pudiera pellizcar. Estaba determinada a no tener nada de carne en el cuerpo que me pudiera pellizcar. Pensaba que si no parecía como una mujer, si no tenía curvas, pecho, carne, quizá no sería violable, quizá no sería sexual. Quizá desaparecería.

Finalmente, mi madre se preocupó. Por fin se dio cuenta de que me había vuelto solitaria y frágil, y cada vez menos comunicativa. Intentó hablar conmigo, intentó hacer que comiera, pero yo me ponía a la defensiva, y mi madre y yo empezamos a discutir mucho. A ella le iba mejor, pero yo estaba harta. Me hartaba que me dijera qué era lo que tenía que comer y qué no. Odiaba que hiciera comentarios sobre mi cuerpo y cuando comentaba algo sobre mi aspecto, me sentía invadida.

Entonces un día, practicando atletismo, me desmayé y me tuvieron que llevar a urgencias al hospital local. Pesaba sólo cuarenta kilos. Me pusieron inmediatamente una inyección intravenosa, y me despertaba y volvía a caer inconsciente. Creo que me estaban sedando, y la inyección intravenosa me estaba haciendo sentir náuseas. Después de dos días me trasladaron, o debería decir: mi madre me internó en un hospital psiquiátrico. Odiaba ese lugar. Tenía que ir a terapia de grupo con chicos; cuando el personal del hospital no estaba observando, los chicos se enrollaban en el módulo, y las chicas vomitaban y tomaban enemas para mantener su peso bajo; después, se bebían litros de agua y no orinaban para pesar más. ¡Genial! Estaba aprendiendo todo tipo de trucos en el hospital.

Realmente quería salir. La trabajadora social no dejaba de preguntarme una y otra vez por qué estaba tan deprimida; por qué era anoréxica y bulímica; por qué, por qué, por qué. La odiaba. Finalmente, un día, en una sesión de terapia familiar, conté todo sobre mi violación. Estábamos mi madre, la trabajadora social y yo. Mi madre saltó de su silla y me abrazó fuerte. Me sentía muy bien de haber liberado el secreto, pero las hice prometer que eso no saldría de allí.

Tres semanas después de aquella reunión dejé el hospital psiquiátrico. Tenía mis nuevas técnicas de supervivencia (enemas, retención de líquidos...) y sentía una mezcla de alivio y terror por lo que había contado. Aunque le pedí que no lo hiciera, mi madre se lo contó a mi padre, y ellos insistieron en que lo denunciara. Les dije que era imposible. Estaba muy asustada. Les dije que ya no se podía detener a los chicos, que ya se habían graduado y que se habían ido a la universidad, a otra ciudad. Pero mis padres insistieron.

Antes de que se notificara a los chicos los cargos presentados contra ellos, fui interrogada por el abogado y todo fue de nuevo sacado a la luz, y caí de nuevo en una profunda depresión. Mi anorexia estaba en su máximo apogeo porque estaba sintiendo que me arrebataban todo el poder.

Cuando nos presentamos a otra cita con el abogado, me desmayé y tuvieron que hospitalizarme otra vez. Esta vez me llevaron a un hospital general y mi peso era «normal», con cuarenta y dos kilos, así que me dieron el alta tras darme un sedante. Les rogué a mis padres que abandonaran el caso. Aceptaron.

Después de abandonar el caso, me prometí a mí misma que me mantendría tan ocupada que no tendría tiempo de pensar o de recordar nada. Me negué a hacer terapia. Me obsesioné con el atletismo, el colegio y, por supuesto, las calorías. Ahora sabía el precio de pasar por los cuarenta y dos kilos requeridos. Aunque me resultó un poco difícil, me las arreglé para mantenerme en ese peso «saludable». Conseguí terminar secundaria con matrículas de honor y me aceptaron en una universidad de Ivy League con una beca de atletismo. Había escondido la violación de grupo en un lugar profundo y oscuro al que nunca iba. Mi primer año de universidad transcurrio sin problemas y después, ese verano, me volvieron a violar. Esta vez fue una violación en una cita. Lo siguiente que recuerdo es que estaba sentada en el despacho de Patti con mi compañera de habitación, que fue la que me llevó allí.

Mis pensamientos

El verano de su primer año de universidad, Azucena salió con un chico al que acababa de conocer. Estaba nerviosa y había bebido para olvidar. Empezaron a tontear un poco, pero cuando él quiso continuar ella le dijo no. Esta vez gritó. Dio igual. Él, a pesar de todo, la violó. Azucena esperó un par de días para contarlo; después, se lo dijo a su compañera de habitación, que también era una superviviente de abusos. Su compañera era una de mis pacientes y la trajo a mi consulta. Inmediatamente empezamos a quitar las capas de los traumas de Azucena.

Han pasado dos años desde la primera sesión y Azucena todavía lucha con su peso. Tiene miedo a relacionarse con chicos, pero al menos ahora tiene una buena amiga, su compañera de habitación. A Azucena todavía le obsesiona que no siguiera adelante con la acusación de los mal nacidos que la violaron en grupo, pero la verdad es que ella todavía no es lo suficientemente fuerte para denunciarlo. No todas las chicas tienen la fuerza necesaria para denunciar a sus violadores o abusadores. Y eso también es aceptable.

Evidentemente, todos queremos que se haga justicia, pero a veces se hace justicia cuando una chica puede dormir sin tener pesadillas. Aunque Azucena todavía está luchando con sus trastornos alimenticios y todavía se deprime, cuando sale ahora con un chico, después de que la violaran en una cita, no bebe. Y en nuestra última sesión me habló de aceptar una cita con un chico muy simpático que había conocido en su clase. Eso también es justicia.

¿Dónde terminará?

La violación es una epidemia y a pesar de que las leyes han mejorado con los años, no protegen a las mujeres contra los abusos. La investigación policial en casos de violación es terrible. Según Kellie Greene, el director de Speaking Out About Rape (SOAR), ciento sesenta y nueve mil kits de la violación yacen en los departamentos de policía de todo el país esperando ser examinados. A la mayoría de los violadores nunca se les detiene, y si lo hacen muy pocas veces son juzgados, y si son juzgados casi nunca van a la cárcel, y si van a la cárcel, normalmente, vuelven a la calle en un visto y no visto.

Llegados a este punto, no podemos confiar en la policía o en lo tribunales para protegernos de la violación. Y nuestra cultura tampoco ayuda. Ahora hay mucha más pornografía disponible que nunca, por no hablar de la «pornograficación» general de las jóvenes. No tiene nada de sorprendente que el director de muchos de los vídeos de Britney Spears sea Gregory Dark, un famoso director de cine porno duro. Las Britney Spearses y Cristinas Aguileras del mundo son omnipresentes, haciendo aún más difícil para las jóvenes el disfrutar del hecho de ser sensuales sin que la sombra de la provocación sexual explícita planee sobre ellas.

Las jóvenes tienen derecho a que les guste su cuerpo, a disfrutar su sexualidad, a conectar amor y sexo. Y muchas jóvenes lo hacen. Pero no ha habido nunca antes una mayor necesidad de estar espabilada. Los chicos son susceptibles a esas imágenes sexualizadas de chicas que están pidiendo sexo a edades cada vez más jóvenes.

Una vez dicho esto, te diré que hay formas de ser lista y de tomar medidas para estar lo más a salvo que puedas. Los siguientes consejos te ayudarán a ser consciente de las situaciones de riesgo potencial. Recuerda estas indicaciones y dáselas a tus amigas.

Consejos contra la violación en una cita

1. Cuando salgas, piensa en lo que haces. No te coloques ni bebas hasta el punto de perder el sentido.

2. Cuando salgas con tus amigas, asegúrate de que están pendientes de ti. Dile siempre a una amiga que te vas de fiesta y turnaros para llamaros una a la otra.

3. Si asistes a una fiesta y el chico con el que estás también está borracho o colocado, no salgas con él a solas, a menos que estés preparada para defenderte a ti misma de una violación. Puede que suene alarmista, pero —vamos a afrontarlo, chicas— es nuestra cultura. Por supuesto que no todos los jóvenes u hombres son violadores en potencia, pero ¿para qué jugar con fuego cuando hay formas de protegerte a ti misma?

4. Comprende que el alcohol y las drogas disminuyen tu capacidad de juicio.

5. No pierdas nunca de vista tu copa para que nadie pueda poner en ella una pastilla.

6. Nunca salgas sola con un chico al que no conoces. No es seguro. Si conoces a un chico y te gusta, lo mejor que puedes hacer es salir con él varias veces en grupo antes de ir a cualquier lado con él a solas.

7. Deja claras tus intenciones. Si no te interesa el sexo, házselo saber al chico con el que estás. Recuerda: tienes derecho a establecer tus límites en el contacto físico.

Algunas chicas que han sido violadas en una cita cuentan que cuando reaccionaron, y se dieron cuenta de que las estaban forzando a tener sexo, tuvieron suficiente fuerza física para empujar al chico y escapar. Cuando se trata de una violación a manos de un desconocido, no tienes tantas oportunidades de defenderte por lo azaroso del crimen, pero lee lo siguiente para encontrar algunas palabras adicionales al respecto.

1. No hace falta decir que es menos probable que te violen por la tarde en una calle transitada que si vas andando a las dos de la madrugada por una desierta.

2. Los grandes aparcamientos son famosos por las violaciones, así que intenta aparcar siempre en uno concurrido, bien iluminado y, preferiblemente, exterior.

3. Camina recta y decidida.

4. No estés llamando o hablando por el teléfono móvil, distraída en la conversación, sin ser consciente de lo que te rodea.

5. No des aspecto de vulnerable. Esto no es algo que pueda prevenir siempre una violación, pero puede ayudar.

6. Da clases de defensa personal. Te hará sentir más control de tu cuerpo.

Una vez dicho esto, durante la violación a manos de un desconocido, cuando alguien te pone un cuchillo en el cuello, puede que toda la fuerza o las habilidades para la defensa personal no sirvan para nada, pero si un chico te intenta forzar sexualmente puede fortalecerte el hecho de saber que cuentas con ciertas habilidades para responder luchando. Lo más importante: que tus amigas puedan contar contigo. Si violan a tu amiga, ayúdala, pero también ayudaos unas a otras cuando salgáis de fiesta. Elegid siempre una chica para que esté sobria y vigilante. Ayudaos unas a otras, chicas. Apoyaos unas a otras, y haced que los buenos chicos os defiendan.

CUARTA PARTE

EL CAMINO DE REGRESO

CAPÍTULO 11

Diferentes caminos hacia la curación

«Todos los hombres con los que me he encontrado en mi camino me han herido, han invadido el viaje que yo estaba haciendo. Me han manipulado y anulado. Ahora estoy abriéndome un nuevo camino.»

Una superviviente de incesto, de veinte años

Como ya hemos visto, hay muchos caminos a la curación. Ya has oído a muchas chicas y, aunque sus experiencias varían, todas contaron cómo, una vez que hablaron sobre su abuso, fueron capaces de salir adelante en sus vidas. Éste fue su principal medio de curación.

A lo largo del libro hemos visto lo eficaz que puede ser el contar tu historia y, a medida que vayas atravesando los distintos sentimientos que surgen, puede que quieras hacer algo más. La mayor parte de este libro está dedicado a hacer frente a tu abuso una vez que te has marchado de casa, porque en ese momento es cuando la mayoría de las chicas tienen su primera oportunidad real de ver todo con cierta perspectiva y de curarse. A pesar de que entiendo lo difícil y quizás imposible que puede resultar abandonar tu casa antes de tener dieciocho años, uno de los objetivos importantes de este libro es abrirte nuevos caminos. Si todavía vives en casa de tus padres, escribe una lista de todos los adultos que conoces y piensa quién te puede acoger en su casa, quién te puede apoyar, quién te puede ayudar a alejarte de tu abusador. Utiliza tu sexto sentido. Si tienes la posibilidad de marcharte, lo sabrás.

Si te marchas antes de tener dieciocho años, esto puede suponer que te denuncien, pero si sientes que tienes una buena oportunidad de escaparte de tu abusador, puedes elegir seguir adelante.

Sin embargo, aparte del hecho de contarlo o de marcharte, hay muchos otros mitos sobre cómo continuar o «hacer justicia». Puede que la gente te diga que denuncies el crimen o que te enfrentes a tu abusador; incluso que lo perdones. Yo no abogo necesariamente por estas medidas. Creo que puede ser muy útil que recibas algún tipo de orientación psicológica, pero lo fundamental es que la mejor manera de curarse consiste en encontrar personas que te apoyen, hablar de lo que te ha ocurrido y aferrarte a la idea de que el abuso ni ha sido culpa tuya, ni tú, en ningún caso, no tienes nada de lo que estar avergonzada y que te mereces mucho amor y felicidad en tu vida. Pero sería negligente por mi parte si no mirara al menos algunos de los caminos que han tomado las chicas y no te diera alguna información.

¿Debo denunciar el crimen?

A lo largo de este libro hemos hablado de lo importante que es decirle a alguien lo que te ha ocurrido, elegir sabiamente a quién contárselo y obtener ayuda. Debes saber que, independientemente del tipo de abuso sexual que hayas sufrido, puede que te animen a que denuncies lo ocurrido a la policía. Es posible que esto no sea necesariamente lo que necesites para curarte. Hay muchas chicas que han sufrido abusos sexuales que no quieren que se involucre la policía. No quieren presentar cargos y tener que enfrentarse al sistema legal, y eso es completamente comprensible.

Algunos casos de abuso sexual, especialmente si han ocurrido en un pasado lejano, serían muy difíciles de probar. A veces, cuando el abusador es un miembro de la familia, se presiona a las chicas para que no lo denuncien porque sería una vergüenza para la familia. Las chicas también saben que necesitan una voluntad de hierro para ser capaces de soportar todas las entrevistas, ponerse de pie en el banquillo de los testigos, contar públicamente sus historias y, a menudo, sufrir brutales interrogatorios que saquen a la luz los más mínimos detalles de su vida, por no hablar del bajo porcentaje de juicios. Cada chica tiene que preguntarse a sí misma si vale la pena denunciar el crimen en su caso particular. Para muchas, la respuesta será no, y eso es algo admisible.

Hay muchas chicas que deciden denunciarlo que terminan sintiéndose de nuevo violadas por el sistema judicial criminal. El proceso puede ser muy lioso. La única buena razón que se me ocurre para que denuncies tu abuso y presentes cargos es en el caso de que sea muy probable que el abusador vaya a abusar de otras chicas. Como veremos en la historia de Perla en el capítulo 12, por ejemplo, ella dio un paso adelante y lo contó cuando le dio miedo de que su tío estuviera abusando de su hermana pequeña. Lo dijo con la esperanza de que, al contarlo, lo pararía.

Perla le habló a su orientador de su tío y éste llamó a la policía, como era su obligación. La policía fue al colegio y habló con Perla. También me interrogaron a mí, porque ella me reveló el abuso y me había dado muchos detalles. Tomaron mi testimonio, oral y escrito, como evidencia y fui considerada testigo de la revelación.

Con el apoyo de la familia, Perla presentó cargos contra su tío. Se hizo pública una orden de protección que le prohibía tener ningún contacto con Perla. Después, su tío se declaró culpable de los cargos y el caso remitió a juicio. Esto fue algo positivo para Perla. El hecho de ir a juicio puede ser una parte muy difícil del proceso para una chica; tener que enfrentarte a tu abusador, contar tu historia en detalle una y otra vez, y convertir todos los detalles de tu vida en propiedad pública.

En el caso del tío de Perla, dado que el abuso tuvo lugar siete años antes de la revelación, sólo fue condenado a una pena menor: libertad condicional y orientación psicológica obligatoria durante un año. Parece que nunca volvió a ir tras la hermana de Perla, pero ahora hay otras chicas que le han acusado de abuso sexual. ¿Le valió la pena a Perla denunciar el abuso y presentar cargos contra su tío? Quizás. Le probó que sus padres estaban completamente de su parte y fue algo que la ayudó a curarse del abuso. Pero también está Rubí, que denunció el abuso; no se hizo nada porque su padre se las arregló para convencer a la policía de que era inocente y, además, su hermana se negó a corroborar el abuso; la hermana terminó viviendo por las calles como prostituta.

Tengo una paciente que denunció un abuso a la policía a manos de un conocido. La presionaron para que llevara un transmisor y quedara de nuevo con el violador, y en el encuentro él intentó violarla de nuevo. La policía intervino, pero incluso con un testigo y una buena prueba sólida, este violador fue sólo encarcelado durante seis meses.

Y también está Marisa, sobre la que leeréis en el capítulo 12, que durante un juicio por la custodia en un tribunal familiar denunció el abuso de su padre; el juez permitió que éste siguiera teniendo el derecho a visita —aunque bajo supervisión— hasta que se pudiera recabar más información.

Hay muchos orientadores y policías que te dirán que lo mejor es siempre denunciar el crimen. Puede que esto les sirva a ellos y que les proporcione datos útiles, y puede que también sea bueno para ti, pero no debes dejar nunca que nadie te fuerce a denunciar el abuso. Y las personas que están a tu alrededor deberían apoyar tu decisión. Si no lo hacen, recuérdales que es una decisión tuya. Si piensas en la posibilidad de que puedas probar que el abuso que tuvo lugar es mínima (si es que fue hace muchos años o si no hubo testigos y no hiciste un examen médico), tienes que preguntarte qué es lo que ganas denunciándolo. Sólo tú puedes hacer la elección adecuada. Lo mismo pienso sobre el hecho de enfrentarte a tu abusador. Si no quieres, no lo hagas. Se trata de tu curación y de la de nadie más.

Una vez dicho esto, hay que añadir que el sistema de la justicia criminal es ahora más sensible y respetuoso con las mujeres que hace, más o menos, treinta años. Si decides que llevarlo a los tribunales forma parte de tu manera de decir la verdad y de curarte, entonces haz buen uso del sistema judicial criminal. Estate preparada, ten abogados y sé consciente de que, independientemente de lo que ocurra en el juicio, tú has dicho la verdad y no fue culpa tuya. El camino legal no es necesariamente para todo el mundo. Sólo tú puedes decidir si es lo adecuado.

¿Deberías enfrentarte a tu abusador?

«Tú, sucio asqueroso, hijo de mala madre. Ha llegado el momento de sacudirme la mierda de encima y tú, colega, eres el primero que va a caer.»

Una superviviente de abuso, de diecisiete años

Esta cita proviene de un poema que hay en el diario de una superviviente de violación. Ella nunca se enfrentó a su violador, pero no hay duda de que en sus textos sí se enfrenta a él, y eso ha sido un factor importantísimo en su curación. Hay muchas formas de enfrentarse. Lo más importante es que, en tu mente, afrontes el hecho de que tu abusador es la parte culpable.

Muchas chicas me preguntan si deberían enfrentarse a su abusador directamente. Mi respuesta inmediata es no.

Dicho esto, si a pesar de todo terminas en los tribunales, ya sea porque así lo quisiste o porque tus padres insistieron, te verás forzada a ver a tu abusador en el juicio, a mirarlo y a contar lo que ocurrió. Puede que te hayan dicho, o que hayas leído en algún lado, que el hecho de que te enfrentes a tu abusador —en persona, por carta o por teléfono— te ayudará a curarte. Ésa no es, en absoluto, la experiencia que yo he tenido. El enfrentarte a tu abusador puede que no tenga nada que ver con la curación. He visto muchos casos en los que las chicas fueron obligadas a enfrentarse a su abusador y sólo consiguió hacerlas más daño. Sencillamente, creo que es una falacia pensar que por decirle a tu abusador lo que te hizo y airear tus sentimientos, en cierto modo, te vayas a sentir mejor. La mayoría de las veces, tú abusador negará todo por todos los medios.

¿Te acuerdas de Rubí, cuyo padre la rechazó completamente cuando se enfrentó a él? Le dijo que nadie la iba a creer. Ahí es cuando ella empezó a sentirse totalmente desanimada y cayó en las drogas y en la bebida, y empezó a hacerse daño a sí misma. Esperaba que al enfrentarse a él se iba a sentir aliviada y todo lo que consiguió fue sentirse violada de nuevo.

Si sientes la necesidad de decirle algo a tu abusador directamente, puedes intentar escribir una carta y, a continuación, quemarla. Puedes escribir canciones y poesías. Pero no esperes que tu abusador te vaya a hacer sentir mejor, porque nunca lo va a hacer. Aunque te enfrentes a él, y él llore y te pida perdón, las cosas no van a mejorar necesariamente. Puede que, incluso, empieces a sentir pena por él, lo cual sólo te conducirá a una mayor confusión. Hagas lo que hagas, recuerda: se trata de *ti*, no de *él*.

No importa cómo sea su reacción; decide enfrentarte a él sólo si eso te va a hacer *a ti* sentirte mejor.

Te lo voy a repetir otra vez. No tienes por qué enfrentarte a tu abusador, y yo no te lo recomiendo. La mayoría de las veces, lo mejor que puedes hacer es alejarte de él y trabajar en tu proceso apartada de él. He trabajado con cientos de chicas que se han curado sin enfrentarse nunca directamente a sus abusadores.

¿Deberías perdonar a tu abusador?

«Hubo tantas veces en que quise tener fe, para abandonar mi alma al cuidado de otro ser, de otra persona, que había ocasiones en que me parecía demasiado asqueroso para poder soportarlo más. Pero siempre había alguna regla, como "ofrece tu otra mejilla" o "perdona y olvida". Algunas ideas de perdón que se me hacían inconcebibles. Me parecía tan incomprensible... ¿Cómo puedes "perdonar" a alguien que te ha robado tu niñez, tu asombro, tu inocencia, tu "primera vez", y la oportunidad de descubrirte a ti misma sin que existan agujeros negros y abismos abiertos debajo de ti en el camino? Quizá haya personas que puedan perdonar, pero yo siempre supe en mis entrañas que no perdonaría. Me parecía como eludir una responsabilidad, como si al evitar enfadarme sobre esto mi mundo permanecería como era en la superficie, normal y jovial. Estoy enfadada, y sé que no tengo por qué ponerme en su situación. Me importa un cuerno su dolor o el "porqué" me hizo a mí esto.»

Una superviviente de incesto, de veinte años

No os puedo decir cuántas jóvenes supervivientes han acudido a mí después de que un terapeuta bienintencionado, un sacerdote o incluso sus propias madres les hayan dicho que perdonen a su abusador. Yo digo que no. No, no y no. La única persona a la que necesitas perdonar para curarte es *a ti misma*. He visto a muchas personas que han tratado de perdonar y han terminado justo donde habían empezado, creyendo que tenían la culpa del abuso. En lo que a mí respecta, el perdón es una especie de regalo para tu abusador. Él es absolutamente responsable de lo que te ocurrió. Tú no le debes nada a él.

Por supuesto que necesitas hacer las paces con tu propia fe, y si tu fe te dice que necesitas perdonar para superarlo yo no te voy a impedir que lo hagas. Aunque hay diferentes escuelas de pensamiento, yo creo, clínica y psicológicamente, que el perdón no es necesario para la curación.

Casi siempre es mejor hacer una clara ruptura, rodearte de personas que te apoyen, expresar tus emociones a las personas en las que puedas confiar y no preocuparte por el enfrentamiento o el perdón, o por concluir los síntomas de esa manera. Con un buen apoyo, también puedes superar esto. No es algo que el abusador pueda hacer por ti. No tienes que concederle más espacio en tu corazón, ni más acceso a tu cuerpo ni a tu alma.

Puede que tu madre haya perdonado a tu padre o a tu padrastro por haber abusado de ti. Puede que tu abusador haya cumplido su pena (a menudo, desgraciadamente breve) y que haya vuelto a casa a vivir contigo. Quizá tus padres te arrastraron a una terapia familiar y te forzaron a aprender a «perdonar». A mí, el perdón me parece algo casi criminal. He visto cómo esto es algo que hiere a las chicas profundamente y afecta a cómo se sienten consigo mismas durante años. Si te encuentras a ti misma en esta situación, por favor, intenta encontrar personas que te apoyen. Cuando tengas la posibilidad de marcharte de casa, tendrás la probabilidad de no ser parte de una familia que perdona al padre que te violó.

¿Deberías hacer terapia?

> «Cuando mi terapeuta me dijo que el incesto no era culpa mía y que mi padre era malvado, lo único que hice fue quedarme ahí sentada y ponerme a llorar.»
>
> **Una superviviente de incesto, de dieciocho años**

En muchos momentos de este viaje te habrás descubierto a ti misma con ganas de hablar con un profesional. Afortunadamente, cada vez hay más ayuda disponible. Hay líneas de asistencia telefónica, orientadores para crisis, trabajadores sociales y terapeutas, sólo para empezar. De hecho, en la mayoría de los países ahora hay centros para mujeres violadas donde puedes recibir orientación psicológica gratuita.

Puede que quieras empezar con una línea de asistencia telefónica. El hecho de que la persona que está al otro lado de la línea no te conozca, puede hacer que te dé menos miedo revelarlo. He conocido chicas que han llamado a líneas telefónicas muchas veces, incluso veinte, antes de que estuvieran preparadas para decírselo a algún conocido. Normalmente, las mujeres que responden las llamadas son supervivientes y escuchan de manera muy comprensiva. A menos que les pidas un consejo específico, ellas no te aconsejarán, sólo te escucharán y te apoyarán.

Si estás preparada para la orientación cara a cara, asegúrate de que el orientador es alguien en quien confías plenamente. Por supuesto, no tiene por qué ser un profesional. Sólo encuentra a alguien que se preocupe por ti.

Por favor, sé consciente de que si tienes menos de dieciocho años y el abuso sigue teniendo lugar en tu casa, cualquier profesor u orientador al que se lo cuentes estará obligado a denunciar el abuso. Por supuesto, si conoces al orientador, o si es una persona muy experimentada y sensible, él/ella te ayudará con la denuncia, pero legalmente estará obligado a denunciarlo. Si ya no estás en peligro, él/ella no tendrá la obligación legal de denunciarlo y puede que te sientas más libre para revelarlo.

A pesar de que yo soy terapeuta, quiero decirte que la terapia no es la única forma de curarse. Si revelas el abuso y encuentras apoyo y cariño, te curarás. También hay algunas novelas y películas bastante buenas con las que puede que te sientas identificada y que formen parte de tu camino de curación. También encontrarás libros de autoayuda a la curación que pueden ayudarte. Y recuerda: correr, cantar, hablar, jugar, dibujar, pintar, bailar o cualquier medio por el que te expreses puede ayudarte a curarte. Déjalo que pase, sácalo fuera y lo superarás.

Pero si eliges algún tipo de terapia, lo más importante es que te sientas cómoda con tu terapeuta. Da igual la experiencia que tenga o todos los títulos que posea; si él/ella no te gusta, probablemente la terapia no te ayudará.

A veces, la experiencia de estar haciendo terapia con un profesional con el que no te puedes relacionar puede hacer que te sientas aún más aislada. Si sientes que tu terapeuta tiene mucho poder o control sobre ti, puede que vuelvas a experimentar los sentimientos del abuso. Si ése es tu caso, deja al terapeuta. Aunque tus padres te fuercen a hacer la terapia, ellos no pueden elegir a la persona con la que vayas a sentirte más cómoda. Tú eres la única que puedes hacer eso. De modo que sigue entrevistando hasta que encuentres a la persona adecuada.

Consejos prácticos para encontrar un terapeuta

1. Asegúrate de que conectas con el terapeuta y de que te sientes apoyada incondicionalmente. (Si tu terapeuta te dice que dejes toda esa historia en el pasado y que no hables de ella, sal de su consulta no andando, sino corriendo.)

2. Sigue buscando hasta que encuentres a una persona que te puedas permitir pagar. Hay muchas clínicas que ofrecen orientación gratuita, o a precio reducido, para supervivientes de abusos sexuales.

3. Si puedes, intenta que el terapeuta sea una mujer. Puede que no te sientas muy cómoda hablando de sexo

con un hombre, pero ésa es una decisión que tienes que tomar tú.

4. No permitas nunca que te obliguen a hablar de algo que no estás preparada a contar.

5. Si tienes menos de dieciocho años y estás sufriendo actualmente un incesto, tu terapeuta estará obligado legalmente a denunciar el crimen; pero un buen terapeuta, antes de hacer nada, lo consultará contigo y verá cómo lo hace.

6. Tienes que estar segura de que todo lo que digas en las sesiones debe ser confidencial, incluso para tus padres, a menos que sea un peligro para ti misma o para otros.

7. Tómate tu tiempo. Encuentra al terapeuta adecuado. Recupérate. Date tiempo para curarte.

Una paciente mía, de dieciséis años, define muy bien la terapia. Dice que ella, en la sesión, descarga todos sus problemas en el suelo, como si esparciera papeles. Tomamos uno, lo miramos y lo volvemos a poner en el suelo. Tomamos otro, trabajamos con él, lo maduramos y lo tiramos. Y al final de la sesión recogemos todos esos papeles, los colocamos en una caja especial y en una estantería, y los dejamos ahí hasta la siguiente sesión.

Uno de los beneficios de la terapia es que, en muchos sentidos, es una relación unilateral. No tienes que preocuparte por él/la terapeuta. Está allí para ayudarte, no para cargarte con ninguno de sus problemas personales. Está allí a *tu* disposición.

* * *

La curación no se produce necesariamente por denunciar o por enfrentarte a tu abusador y, sin duda, no se produce al perdonarlo. No dejes que nadie te presione a hacer estas capitulaciones. La curación se produce al hablar de tu experiencia, dejando que tus secretos salgan. Es un proceso de perdonarte a ti misma. La curación se produce al quererte a ti misma y confiar en ti misma. La curación se produce cuando te das cuenta de que es tu abusador el que tiene la culpa, cuando eres capaz de deshacerte de los sentimientos de vergüenza y de culpa. Éste es un proceso muy diferente en cada niña y en cada joven. Es tu vida y te mereces recorrer tu propio camino hacia la curación.

CAPÍTULO 12

Las familias que apoyan a sus hijas cuentan sus experiencias

«Cuando mi marido descubrió que su hermano había estado abusando de nuestra hija, fue a su casa, le tiró al suelo de un empujón y empezó a darle patadas en la cabeza.»

Una madre de una superviviente de incesto

HASTA AHORA HEMOS OÍDO hablar de muchas familias que se cruzan de brazos y no hacen nada para proteger a sus hijas del abuso. Hemos oído de padres que querían a sus hijas, pero que estaban ciegos a lo que estaba ocurriendo; madres que nunca se enfrentaron a los abusos que sufrieron en su niñez y que se casaron con hombres que abusaron de sus hijas; madres que, incluso cuando se denunció el abuso, permanecieron del lado del marido; padres que eran tan malvados que violaban a sus hijas y les decían que tenían derecho a hacerlo.

No hace falta decir que la mayoría de las personas no quiere que se viole, abuse o se haga daño a las chicas, y que la mayoría de los padres no deja que estas cosas ocurran; no dejarían nunca que nadie hiciera daño a su hija. La mayoría de nosotros sentimos rabia hacia los agresores, violadores y abusadores.

Las siguientes historias nos conducen al mundo de algunas de estas familias traicionadas. Como verás, muchas chicas sí tienen aliados dentro de sus familias. Y te sorprenderá saber que, a veces, les lleva mucho más tiempo a los padres curarse que a las hijas. Las chicas son increíblemente resistentes, pero mucho después de que ya se hayan curado sus heridas del abuso sus padres todavía siguen enfrentándose a las suyas. Sin embargo, lo más importante que el padre de la chica de la que han abusado puede hacer es mostrarle un apoyo incondicional.

El padre de Cristina tuvo, literalmente, un infarto después de oír sobre el abuso a su hija y enfrentarse a su abusador. Su madre todavía piensa que su corazón dejó de latir porque no pudo soportar el abuso de su hija ni la subsiguiente injusticia.

Historia de la madre de Cristina
Una madre sin perdón

«Eran muy malos conmigo. Me hacían hacer cosas que yo no quería.» Estas palabras me seguirán obsesionando el resto de mi vida.

Cuando mi hija tenía nueve años, fue a pasar un fin de semana a la casa de verano de su amiga Ana, en una zona residencial de Jersey Shore, a ciento sesenta kilómetros de nuestra casa, en el noroeste de Manhattan. Cristina había estado esperando con ansia que llegara ese fin de semana, el último del verano antes de empezar el colegio. Conocíamos a los padres de Ana y, sin duda, confiábamos en que cuidarían de nuestra única hija, pero yo no quería que fuera. Antes de que se marchara, le expliqué que si no se lo estaba pasando bien no podríamos ir a buscarla, y le dije que nos veríamos al cabo de tres días. Ella pareció entenderlo.

Cuando Cristina volvió tres días más tarde, se fue directa a su habitación y se acurrucó en su cama. Me hizo que fuera con ella y me rogó que me quedara hasta que se durmiera. Antes de que se adormilara, pronunció estás palabras que nunca olvidaré: «Eran muy malos conmigo. Me hacían hacer cosas que yo no quería realizar.» Le pregunté qué cosas le hacían hacer, pero no me respondió. Me hizo que mirara debajo de la cama a ver si había «hombres» y que me asegurara de que nadie pudiera entrar por la ventana de su cuarto (¡en el duodécimo piso!). Éste era un comportamiento atípico en Cristina y le volví a preguntar qué había ocurrido, pero siguió sin contestarme. Yo pensé que quizá le habrían hecho comer guisantes, zanahorias o algo por el estilo, sin importancia. Recuerdo que estaba un poco molesta y que actuaba de forma brusca.

Cristina se levantó a la mañana siguiente y fue al colegio como si nada hubiese ocurrido. Parecía que estaba bien. Y durante nueve años no volvió a hablar de ese fin de semana. Nunca me perdonaré haber sido tan negligente y, quizás, haberla hecho sentir que no me podía contar nada. No puedo dejar de pensar por qué no seguí insistiendo sobre el tema o rogarla que me contara qué quería decir con esas palabras de mal agüero. Esto me enseñó que nunca hay que trivializar sobre lo que un niño te dice.

La adolescencia de Cristina fue un poco inestable. Tuvo problemas de aprendizaje y, por tanto, algunos de los otros problemas que normalmente esto trae como consecuencia: sentirse un poco aparte socialmente, períodos de depresión... Éramos una familia cariñosa, pero me imagino que nuestro cariño no era suficiente para llevarse la depresión de Cristina.

Cuando tenía dieciséis años, Cristina intentó suicidarse y fue hospitalizada. Fue en una sesión de terapia de familia, en el hospital, cuando nos enteramos lo que le había ocurrido a Cristina aquel fin de semana hacía tantos años.

El padre de Ana había violado y sodomizado brutalmente a Cristina. Ella acababa de cumplir nueve años. Él le dijo que si era una niña buena y no se lo contaba a nadie, no lo volvería a hacer. Le dijo que era un secreto muy privado e importante, y que si lo contaba a su familia sufriría muchos daños. A continuación, se pinchó un dedo con una aguja; después, pinchó el de Cristina, y unieron sus dedos; le explicó que eso les daba un pacto de sangre. Explotó la inseguridad de mi hija sobre el hecho de ser adoptada. ¡Qué asqueroso! Le dijo que, como era adoptada, si lo contaba la podían separar de nosotros.

Bueno, ella creyó a este hombre; a éste llamado pilar de la iglesia y de la comunidad. Y nunca lo contó hasta que no tuvo más remedio porque se estaba muriendo poco a poco.

Cuando mi marido oyó a Cristina describir la violación, se encolerizó. Nos hizo ir a su casa directamente desde el hospital y casi se rompió la mano aporreando la puerta. Por supuesto, nos dejaron entrar, y mi marido se abalanzó contra el padre. Su mujer y yo lo tuvimos que apartar. En ese momento nos dimos cuenta que su hija, Ana, se escondió debajo de la mesa. Mi marido tenía tanta rabia que le dio un infarto.

Después de su hospitalización comenzamos los procedimientos legales. Por muy amables y simpáticos que fueron la policía y los abogados, nos dejaron muy claro que nuestra hija tenía que testificar. En un principio, ella estuvo de acuerdo. Pero le dio tanto miedo enfrentarse al padre de Ana en un juicio que se cortó las venas. En ese momento, acordamos con los doctores que Cristina no podía pasar por eso.

Cristina también nos pidió que no se lo dijéramos a nuestros amigos; necesitaba privacidad. De modo que tanto mi marido como yo sólo podíamos confiar en nuestros terapeutas. Una vez, cuando vimos al abusador por la calle, mi marido le escupió. Pasamos muchas noches sin dormir tratando de ver cómo castigar a ese hombre. Durante unos cuantos años mi marido estuvo yendo al mercado de pescados los domingos, compraba pescado podrido y lo dejaba a la entrada de su casa.

Yo me sumergí en una depresión y sentí que era la peor madre del mundo. Me sentía doblemente culpable porque Cristina era una niña adoptada. Habíamos sido bendecidos por tenerla a ella, pero luego no supe protegerla.

Unos años más tarde, después de la crisis de Cristina, mi marido murió de un segundo infarto. Sólo tenía cincuenta y dos años. Yo creo que no podía vivir viendo que no se hacía justicia. A veces, desearía poder matar yo misma a este hombre horrible. Me vienen pensamientos de cortarle el pene y hacérselo tragar. Todavía, después de tantos años de confusión, estoy llena de rabia de que mi hija fuera violada.

La buena noticia es que Cristina es una chica feliz. Tiene veintisiete años y trabaja. Se licenció en la universidad, tiene amigas y vida social, y no está tan marcada por el abuso como yo lo estoy. Gracias a Dios.

Mis pensamientos

Cristina se había matriculado en la universidad cuando Isabel se convirtió en mi paciente. Se ha esforzado mucho en su terapia para tratar de perdonarse a sí misma. Según me dijo, sus sentimientos de rabia se volcaron hacia el interior, en depresión, mientras que los de su marido se volcaron hacia el exterior. De forma trágica, su rabia terminó matándole, o al menos acelerando su muerte. Sencillamente, no podía vivir sabiendo que el monstruo que había violado y sodomizado a su hija estaba libre.

Recientemente, este hombre y su mujer se fueron lejos de Nueva York, y el único consuelo que tiene Isabel es que ni ella ni su hija tendrán que volverlo a ver. Esta familia se puso de parte de la hija, incluso cuando esto supuso no hacer la justicia que ellos pensaban que ella (y ellos) se merecían. Su apoyo fue, en gran parte, lo que hizo posible que Cristina se recuperara.

* * *

Otra madre de una paciente de quince años y superviviente de incesto, me asombró con su extraordinaria historia. Esta madre actuó como una leona protegiendo a su hija.

Durante gran parte de la infancia de Marisa sus padres bebían mucho. Marisa lo pasó un poco mal, pero sí que se sentía querida por sus progenitores. Su madre entró en Alcohólicos Anónimos cuando Marisa tenía diez años y se divorció de su padre, tres años más tarde, al ver que él no iba a dejar la bebida. Marisa visitaba a su padre cada dos fines de semana. Cuando Marisa tenía catorce años, sus padres tuvieron un juicio sobre la custodia, porque su padre quería estar más tiempo con su hija, y Marisa le dijo al juez que durante las visitas su padre había estado abusando sexualmente de ella. He aquí lo que ocurrió, en palabras de la madre:

Historia de la madre de Marisa
Lo voy a matar

Durante muchos años he vivido en una neblina de embriaguez. Sólo desde que he estado sobria, durante los últimos cuatro años, he empezado por fin a ver claramente. Yo sabía que mi marido seguía siendo un borracho, pero nunca en la vida sospeché que estuviera abusando de nuestra hija. Cuando Marisa le dijo al juez que no quería visitar a su padre nunca más porque él estaba abusando de ella, ¿sabéis lo que hice? Me fui directamente donde ella estaba y le pegué una torta. Hmmm... es de locos. Sin duda, en ese momento, me sentía como loca.

Mi hija, en vez de retroceder espantada o de devolverme la torta, me agarró y me abrazó. Me dijo: «Mamá, es verdad.» Bueno, entonces perdí los estribos. Salté por encima de la barandilla de la sala, corrí hacia donde estaba mi ex marido y empecé a darle puñetazos. Los funcionarios de la sala me tuvieron que sujetar. Después, dictaron una orden de protección para él contra mí, hasta que las alegaciones de abuso sexual fueran comprobadas. Por si eso no fuera demasiado horrible, el tribunal nos dijo que mi hija tendría que seguir visitando a su padre, pero que estaría controlada. Estaba a punto de que me diera un ataque.

Ese día, más tarde, mi hija se fue otra vez al colegio. Estaba tan aliviada de haber contado la verdad que me dijo que podía superar cualquier cosa. Yo volví a casa en una niebla. Casi como un robot, como si estuviera hipnotizada, subí a mi habitación, saqué mi escopeta (tenía licencia), la cargué (con tres balas, por si acaso fallaba), me puse una cazadora, metí la escopeta debajo de mi cazadora y me encaminé hacia mi coche. Estaba planeando ir a casa de mi ex marido y matarlo a sangre fría. No tenía ninguna duda. Tenía que morir.

Justo cuando estaba entrando en el coche, mi hermana detuvo el suyo enfrente de mi casa. Resultó que Marisa la había llamado preocupada por mi estado. Le dije a mi hermana que iba a matar a mi ex por haber abusado de Marisa. En realidad, no recuerdo muy bien lo que dije exactamente. Estaba ciega de ira, pero mi hermana me dijo que hablaba con un tono monótono. Cuando le dije que iba a matarlo, me dio una fuerte bofetada. Me explicó que estaba en estado de shock y necesitaba que me abofetearan para reaccionar. Nos sentamos e hizo que le diera la escopeta. Después, las dos nos abrazamos y nos echamos a llorar.

Mis pensamientos

Traté a Marisa y a su madre durante un tiempo. Han pasado cinco años desde el incidente en el tribunal y la madre de Marisa no volvió a querer cumplir su amenaza. Pero como ella dice, todavía vive en una especie de cárcel; no en una cárcel típica, sino en una cárcel de culpa por haber estado tan ciega. Ella era una alcohólica y no la madre que debería haber sido. No se va a perdonar a sí misma.

Marisa está mucho más recuperada emocionalmente que su madre. Está en la universidad y ha hecho terapia. Tiene buenos amigos, y una pasión por la poesía que la ha ayudado a afrontar a sus padres y su niñez. El padre de Marisa nunca fue juzgado. Marisa tenía demasiado miedo para pasar por esto. Pero sí que consiguieron que su padre firmara un documento legal en el que decía que se comprometía a abandonar el estado, estar en libertad condicional durante los siguientes doce años y no volver a contactar con Marisa otra vez.

Durante estos cincos años Marisa no ha hablado con su padre ni siquiera una vez. Se ha esforzado mucho para recuperarse del abuso, pero dice que el camino más importante para su profunda curación fue el amor y el apoyo de su madre.

Prestad atención, padres

«Cuando mi madre me creyó, supe que todo iba a salir bien.»

Una superviviente de abusos a manos de un instructor, de dieciséis años

A menudo ocurre que cuando las supervivientes de abusos sexuales ven que sus familias se empiezan a enfrentar con sentimientos de traición, comienza su propia curación. El simple reconocimiento y el apoyo pueden hacer que una chica empiece a sentir que no todo fue culpa suya. Por eso es tan importante que los padres apoyen y crean en sus hijas. Pero también se deben controlar a sí mismos. Aunque estén llenos de rabia por la violación de su hija, aunque quieran que haya sangre o justicia, tienen que entender que fue la hija la que sufrió los abusos y que hay que respetar sus deseos. Eso puede significar no hablar del abuso al resto de la familia. Puede significar no llevarlo a juicio si el hacerlo es para la chica como otra violación.

En las últimas dos historias, una de las madres se deprimió profundamente, la otra estuvo a punto de convertirse en una homicida y uno de los padres murió de un ataque al corazón, pero en ambas historias los padres entendieron que sus hijas no se sentían lo suficientemente fuertes como para enfrentarse al sistema judicial y no las forzaron a que fueran a juicio. Ésa fue una de las mejores maneras de mostrarles su apoyo.

Durante todos los años que llevo trabajando, he visto a muchos padres e hijas sufrir un gran dolor. Pero hay muchas otras maneras en las que las familias muestran apoyo; no sólo yendo a la terapia o hablando de todo con mucha conmoción. En ocasiones, una familia apoya de manera silenciosa a través de sus acciones. La primera acción es, sencillamente, creer a su hija.

La familia de Perla era una de éstas. Conocí a Perla cuando tenía dieciséis años. Era nueva en nuestro grupo de apoyo por el abuso sexual y durante las primeras semanas no habló. Perla es una chica filipina, menuda, que proviene de una familia muy estricta y religiosa. Es callada, tímida y muy centrada en sus estudios. Cuando finalmente compartió su historia en nuestro grupo, dijo que sabía que tenía que proteger a su hermana de su tío pedófilo. Perla cuenta la historia de una familia que la apoyó mucho, que la creyó y que se puso de su lado, incluso cuando esto significó desafiar tanto su cultura —que valora la privacidad ante todo— como a su numerosa familia.

Historia de Perla
Canciones de misa

Tengo dieciséis años y soy filipina. Nací en Estados Unidos, pero muchos de mis familiares emigraron a este país durante los últimos veinte años. En nuestra familia somos como una piña. Celebramos las fiestas todos juntos, cuidamos de nuestros primos cuando sus padres no están y salimos juntos. Me imagino que se podría decir que nuestros padres dependen unos de otros para que nuestras vidas discurran plácidamente.

Mi tío empezó a abusar de mí cuando tenía siete años y siguió haciéndolo hasta que tuve trece. Intenté por todos los medios apartar de mi mente el abuso. Me hice delegada de mis compañeras en el colegio, estaba en el cuadro de honor, participaba en mi parroquia y empecé a salir un poco. Creí que estaba bien.

Mi tío Jesús siempre había sido mi preferido y su hija, que tenía cinco años menos que yo, siempre había sido como mi hermana. Pero un día las cosas cambiaron. Estábamos en su casa y él me pidió que fuera a su habitación. Cuando entré, él estaba sólo en calzoncillos. Eso ya era raro para mí, si tenemos en cuenta lo pudorosos que son mis padres, y yo estaba un poco asustada. Entonces me dijo que me acercara. Sin muchas ganas, me acerqué. Se sacó el pene y me lo puso en la mano. Era asqueroso. Me quería morir. Pero me quedé allí, paralizada. Después, me lo puso en la boca. Me dijo que eso no me iba a hacer daño. También que no tuviera miedo y que me quería. Después dijo: «Éste es nuestro pequeño secreto.»

Después de este incidente intenté evitarlo, pero él venía muchas veces al colegio a buscarme, diciéndole a mi profesora que le habían enviado mis padres. Como no quería montar ninguna escena, me sentaba en la parte trasera del coche. Pero él se sacaba el pene y empezaba a masturbarse. No hacía más que decirme lo especial que era, que él me amaba y que debería tocarle. Yo me sentaba ahí, helada, mirando por la ventana e intentado poner en blanco mi mente hasta que me dejaba en casa.

Me solía traer regalos y dinero delante de mis padres; por supuesto, yo los aceptaba. Ojalá nunca hubiera aceptado nada de él. Ésta es una de las razones por las que me siento tan culpable. Hasta el día de hoy, me molesta el hecho de que aceptara sus regalos. El nunca me amenazó, pero le tenía miedo. Sus palabras eran muy poderosas. Sabía que lo que estaba ocurriendo estaba mal, pero no sabía cómo pararlo. Principalmente, yo quería alejarme de él, pero esa pequeña parte de mí que se sentía especial quería quedarse, y seguí pensando que él pararía. Me imagino que es por eso por lo que me siento tan responsable y culpable por lo que ocurrió.

Cuando cumplí trece años ya no podía estar en la habitación con él sin sentirme fatal. Mi cuerpo empezó a desarrollarse y me vino el período. Quizás, inconscientemente, empecé a sentirme mujer. Fuera lo que fuese, empecé a poner manos a la obra. Le dije al tío Jesús que no podía estar a solas conmigo. El empezó a ser muy desagradable y me amenazaba con que me atraparía cuando estuviera distraída. Pero me mantuve alejada de él. Le odiaba y le temía.

Empecé a soñar con mi tío y, del miedo, me despertaba con un sudor frío. Después, el olor a tabaco empezó a desencadenarme todos esos horribles sentimientos y recuerdos. Recordaba cómo me solía sentir cuando me tocaba o me susurraba al oído. Pensaba en los gestos asquerosos que solía hacer. Y todos los recuerdos volvieron. Una semana después de que Patti diera una charla en mi colegio sobre abuso sexual, tuvimos una celebración familiar. Como siempre, mi tío intentó abrazarme demasiado; después de que me liberara de su abrazo, vi cómo abrazaba de la misma manera a mi hermana, de doce años. A continuación, justo delante de mí, vi cómo le tocaba el pecho. En ese mismo instante supe que tenía que pararlo. Cuando mi tío empezó a abusar de mi hermana, tuve dos opciones: salvarla a ella o mantener la familia unida. Elegí salvar a mi hermana.

Intenté pensar formas de impedir que se acercara a mi hermana. Quería decírselo a mis padres pero no sabía cómo. Mis progenitores son tradicionales en muchos sentidos y muy conservadores en el tema de la sexualidad. Por mucho que los ame, estoy muy pendiente de complacerles y de ser una «niña buena». Así que hay muchas cosas que no digo a mi madre, y el abuso sexual es una de ellas. Pero siempre sentía dentro de mí este enorme y desagradable secreto.

Cuando la doctora Patti vino a mi colegio y empezó a hablarnos de los abusos sexuales, nos explicó que nunca era culpa de la chica. Por primera vez me di cuenta de que, quizás, mi tío me había estado manipulando todo este tiempo y que él tenía toda la culpa. Estaba dispuesta a contar mi secreto. Fue difícil, para mí, hablar en los grupos de apoyo contra el abuso sexual, pero después de oír también las terribles historias de esas otras chicas sentí que podía compartir mi experiencia. El hecho de escuchar a tantas otras chicas, que nunca me habría imaginado que hubieran sufrido abusos sexuales, me hizo sentirme menos sola. Al oír sus historias podías ver claramente que el abuso no era culpa suya. Quizás el mío tampoco fue culpa mía.

El día que cumplí dieciséis años fui a ver al psicólogo de mi colegio, con el apoyo de Patti y de otras chicas. Sabía que lo podía hacer. Supe por Patti que cuando se lo dijera al psicólogo él llamaría a la policía —como el abuso había ocurrido hacía menos de seis años y estaban implicadas dos menores, el colegio lo tenía que denunciar—, pero sabía que tenía que hacer algo. Cuando se lo dije, por supuesto, me dijo que se lo tenía que decir al director. Yo estaba muy nerviosa y tenía mucho miedo. No sabía lo que iba a pasar. Les dije a mis amigas que se quedaran conmigo.

Lo siguiente que recuerdo es que la policía apareció en mi colegio. Hablaron conmigo y me hicieron muchas preguntas; después, llamaron a mis padres. Mi padre vino al colegio. El simple hecho de que estuviera él allí, tan incómodo, tan fuera de su elemento, era sorprendente para mí. Pero cuando con la ayuda del psicólogo y del director le conté a mi padre lo de mi tío, éste se puso a llorar. Yo nunca había visto llorar a mi padre. Me preguntó que por qué no se lo había dicho a ellos. Le dije que tenía miedo; después, también empecé a llorar. Me sentí tan avergonzada que no podía mirarle. Estaba segura de que se sentía decepcionado por mí.

En casa, mi madre me hizo sentir mucho peor. No dijo nada; sólo me miró con horror y me dio una bofetada. Gracias a Dios, llamó a una buena amiga de la familia para que la apoyara; cuando ésta llegó, le dijo a mi madre que cuando ella era adolescente había sufrido abusos sexuales a manos de su cuñado y que había intentado suicidarse. Entonces mi madre empezó a mirarme con comprensión y supe que me creía. En ese momento sentí el amor de mi madre, pero también supe que no se podía enfrentar a lo que estaba ocurriendo.

Las horas siguientes fueron muy intensas. Mi madre llamó a la mujer de mi tío Jesús, su hermana, y le contó lo que había ocurrido. Mi tía dijo que no me creía. Mientras estaban hablando por teléfono, la policía llegó al trabajo de mi tío y se lo llevó a la comisaría para interrogarlo. Mientras ocurría todo esto yo casi no podía mirar a mis progenitores. Mi padre estaba llorando y mi madre estaba temblando. Mi pobre hermana pequeña llegó a casa en medio de todo este infierno. Cuando se dio cuenta de lo que pasaba, dijo que el tío Jesús le daba escalofríos desde hacía mucho tiempo.

No hace falta decir que las relaciones familiares se vieron muy afectadas. Mi tía y mi prima se pusieron de lado de mi tío. Mi madre dejó de llamar a su hermana y mi prima ya no me hablaba. Me sentía como si hubiera perdido a mi hermana mayor. Mi padre parecía estar muy avergonzado conmigo; mi madre hizo muchos esfuerzos para no decir nada en mi contra, pero había veces en que me miraba, movía la cabeza y me decía: «¿Cómo ha podido ocurrir? ¿Cómo no me lo dijiste?»

Mi hermana se acercó y me dijo: «Gracias Perla. ¿Sabes? El tío Jesús siempre me ha dado un poco de asco, pero pensaba que eran imaginaciones mías que me estuviera tocando el pecho cuando me abrazaba. Yo no sabía que a ti te había tocado, pero yo tenía mucho miedo.» Al oír las palabras de mi hermana, para mí todo valió la pena. Si conseguía salvar a mi hermana de los abusos de mi tío Jesús, podía cortar la relación con mi prima y podía soportar, incluso, la ambivalencia de mi madre.

Ha pasado un año desde que revelé los abusos a mi familia. Ahora tengo diecisiete años y las cosas han cambiado mucho para mí. Ya no pienso tanto en mi tío y, cuando lo hago, sé cómo enfrentarme a los sentimientos que tengo escribiendo mi diario, yendo al grupo y haciendo los ejercicios de relajación que Patti me enseñó. Todavía tengo un montón de sentimientos sobre lo que ocurrió con mi tío, pero la emoción más fuerte ya no es el miedo. Sigo sin hablar con mi prima, pero ya no estoy tan triste como lo estaba hace un año. Duermo mejor. Me siento más feliz. Me siento muy aliviada porque ya no tengo que preocuparme por el hecho de que ninguna de las personas que son ahora importantes en mi vida lo vaya a descubrir. Ya no lo oculto. Realmente, es como si me hubiera quitado un peso de encima.

Mi padre nunca habla sobre el abuso. Mi madre, a veces, murmura que le gustaría ver a su hermana, incluso a veces se le escapa este comentario y me echa la culpa por dejar que las cosas con mi tío duraran tanto tiempo. Pero la semana pasada, en la iglesia, sentí cómo mi madre me daba la mano mientras cantaba su himno favorito; me pareció tan real... Ya no tenemos este enorme secreto entre nosotras.

Mis pensamientos

La historia de Perla es de éxito, pero el apoyo de su familia fue clave para su curación. Aunque tuvieron que pasar por sentimientos difíciles para llegar donde están, se pusieron del lado de Perla, aun cuando eso supuso perder el contacto con miembros importantes de la familia. Aunque Perla tenía recuerdos obsesivos sobre el abuso, dichos recuerdos le llevaron a buscar ayuda. En cierto modo, es incluso sorprendente que sus padres la apoyaran completamente y desearan enfrentarse a su tío. La mayoría de las culturas asiáticas protegen la imagen familiar tenazmente y guardan los secretos familiares. También en la jerarquía cultural, los chicos son más respetados que las chicas y podíamos haber esperado que los padres intentaran ocultar el abuso de Perla para proteger el honor de su respetado tío. Él fue uno de los primeros miembros de la familia que inmigró a Estados Unidos y se le tenía gran estima. Por eso, es aún más extraordinario que los padres de Perla quisieran separarse de él y del resto de la familia. Las mujeres filipinas tienden a hacer todo lo posible para asegurarse de que los hombres «tengan buena imagen» ante el mundo y ante la comunidad, y las familias filipinas, como muchas familias españolas, intentarán por todos los medios evitar las habladurías sobre la familia.

Por supuesto que Perla nunca olvidará la bofetada que su madre le dio, pero parece que con esa acción su madre liberó su ira y sorpresa, y, después, fue capaz de enfrentarse a Perla. Su padre, sencillamente, nunca habla del abuso. Aunque la cultura filipina es considerada un matriarcado, se enseña a las niñas y a las mujeres a respetar a los niños y a los hombres, especialmente a los de la familia. Los padres, víctimas de muchas persuasiones sociales, a menudo están deseando negar que su hija haya sido víctima de abusos, especialmente a manos de un familiar. Les provoca sentimientos muy confusos.

Una de las tradiciones que muchas chicas me han contado es que, a menudo, no se pueden mirar al espejo hasta que sus padres las pueden mirar de nuevo a la cara. Si los padres se apegan a su propio dolor, asombro, desesperación y pena, las hijas se pueden apegar a su vergüenza. Las chicas necesitan saber que no están sucias, estropeadas ni defectuosas. Necesitan que sus padres sean capaces de mirarlas a la cara —y liberarse de la incomodidad hacia sus hijas— para que puedan ayudar a sus hijas a sentirse bien consigo mismas otra vez.

Alice Sebold, en su libro *Lucky*, habla de su primer encuentro con su madre después de que tuvo que llamarla y decirle que un desconocido la había violado brutalmente la noche anterior, en el parque. Dijo que cuando vio a su madre con toda su fresca energía, supo que podía manejar las cosas y superar ese día.

Paradójicamente, hay muchas jóvenes que pueden salir del trauma más rápido que sus cariñosos padres. Pero son sus amados padres los que aceleran la curación, precisamente, por medio de su cariño.

CAPÍTULO 13

Encontrar tu grupo de ayuda

Cuando eres superviviente de abusos sexuales, y especialmente de incesto, es difícil recuperar la confianza. Puede que empieces a pensar que nadie en el mundo te ayudará. Tu abusador te ha culpado a ti o te ha convencido de que lo que está haciendo es correcto. Al igual que hizo el padre de Coral, los hombres dicen a las chicas que el sexo es un rito de transición, «como un Bat Mitzvah». Puede que te sientas demasiado aislada para saber que realmente tienes ayuda a tu disposición.

Por muy extraño que te parezca, la mayoría de las familias se sentirían totalmente destrozadas si abusaran de sus hijas y, sinceramente, también la mayoría de las personas. A pesar de todos los anuncios groseros y vídeos musicales obscenos que hay, también existe un gran movimiento contra la marea del abuso y está empezando a surtir efecto. Al contar tu verdad, estás añadiendo fuerza a este movimiento. Hay más mujeres juezas, más mujeres abogadas, más feministas, tanto hombres como mujeres, en el sistema judicial criminal y más abogados para los niños. Y hay más personas que nunca deseando hablar alto y claro, y en público, sobre el abuso sexual.

También estamos viendo cada vez más esfuerzos para cambiar estos traumas desde la base; desde individuos a organizaciones, escuelas, hospitales, centros de crisis y páginas web. Según mi punto de vista, cada uno de éstos representa una pieza de aquel mosaico del que hablábamos anteriormente; el increíble mosaico para combatir el abuso sexual.

Hay mujeres y hombres, madres y padres, profesores y orientadores, enfermeras, médicos y abogados por todo el país que se están dirigiendo a los jóvenes intentando cambiar estas teorías. En la mayoría de los colegios y de las universidades hay centros de ayuda en caso de violación. Hay grupos de supervivientes, al igual que de orientación psicológica individual. Y a pesar de lo sexista que es la cultura musical, han surgido algunas feministas con canciones sobre su abuso, incluyendo a Tori Amos, que fundó Rape, Abuse, and Incest National Network (RAINN), y Ani diFranco, que habla sobre la atribución de poderes a las mujeres y creó su propio sello discográfico, Righteous Babe Music, porque no quería ser producida por la industria musical establecida.

Los chicos siempre serán chicos... no siempre

Incluso algunos músicos de bandas de rock famosos han salido a la palestra para dar un apoyo ruidoso contra la violación. En la gala de los premios MTV de 1999, los Beastie Boys condenaron a Limp Bizkit por las numerosas violaciones que tuvieron lugar en el Woodstock 1999. Ellos atribuyeron las violaciones a las letras de la canción que Limp Bizkit cantó en el festival, en la que animaba a los hombres a que violaran a las mujeres. Los Red Hot Chilli Peppers también han tomado partido a través de su apoyo a RAINN, cuyo presidente, por cierto, ¡es un hombre! El director de cine Tim Roth también ha defendido la lucha contra el abuso sexual a chicas. Su película *La zona oscura* trata de un chico que quería matar a su padre por abusar de su hermana.

Los niños y los jóvenes sufren mucha presión para adoptar el papel de «machos». A aquellos chicos que quieren una amistad sincera con las chicas —que, como la mayoría de ellas, sólo quieren tomarse las cosas despacio, y tener tiempo y espacio para explorar su sexualidad y no sólo tener «sexo»— se les critica llamándoles maricas.

Hay jóvenes que trabajan de voluntarios en líneas de atención telefónica dedicadas a la violación y que acompañan a las chicas en los campus de la universidad cuando hay amenazas de violación. Y cada vez más padres respetan a sus mujeres y a sus hijas como iguales y se enorgullecen de su fuerza física y de sus logros.

Sí; todavía queda un largo camino que recorrer para cambiar nuestra cultura sexista, pero la mayoría de la gente está ayudando para que nos encaminemos a un lugar mejor. Lo están haciendo como respuesta a las terribles verdades que las adolescentes y las mujeres han estado dispuestas a compartir. Cada vez que una superviviente rompe el tabú del abuso sexual y lo cuenta, ayuda a la cultura de los adolescentes y de los hombres al mostrar a todos lo que el abuso sexual hace a una persona, el dolor que implica. Es un movimiento ascendente que no para de crecer.

La vida continúa

Puede que nunca seas capaz de curar el daño que se ha hecho a tu familia y puede que odies a tu abusador siempre; puede que luches para perdonar a tu madre por permitir que el incesto ocurriera y puede, incluso, que necesites alejarte de tu familia y crear una nueva. Las chicas, a menudo, tienen que crear nuevas familias y nuevos sistemas de apoyo en los que contar a medida que avanzan en sus vidas.

Pero, por favor, tienes que saber que hay ayuda a tu disposición. Te sorprenderá ver cuánta gente te apoyará en tu ira contra tu abusador, cuánta gente te apoyará en tu proceso de curación. Sí; puede que lleve un tiempo conseguir tu grupo de apoyo. A veces necesitarás mucha paciencia. Pero no te desanimes. Si al principió no obtienes la respuesta que estás buscando de la gente a la que se lo cuentas, busca a otras personas. Apúntate a un grupo de supervivientes. Habla con una tía, con una prima o con alguien en quien puedas realmente confiar. Llama a una línea de asistencia telefónica. Encontrarás tu sistema de apoyo.

Todas las supervivientes de abusos son honradas y fuertes. Tú eres maravillosa. Tu abuso es sólo una parte de ti, una parte de tu pasado. No te define. Es algo que te hicieron. No lo puedes deshacer, pero puedes curarte y llevar una vida maravillosa, bendita y llena de éxito, amor, satisfacción, poder, creatividad y curación. Hay personas fuera que te ayudarán; buenas personas que te amarán y a las que amarás. Juntos, saldréis de la oscuridad del abuso a la luz de la vida.

Ya no son invisibles

Este libro tardó en escribirse diez años. Durante esos diez años muchas de las chicas que compartieron sus historias en este libro volvieron a visitarme. Aunque muchas se habían trasladado a otras ciudades, y algunas incluso a otros países, hemos seguido en contacto. Han crecido, cambiado y superado el abuso. Yo fui la primera persona con la que esas chicas maravillosas compartieron sus experiencias. Es un fuerte vínculo que tenemos, a pesar de que no estemos en contacto.

He pensado que os voy a poner al día sobre algunas de las chicas. Hay vida después del abuso sexual. Es algo que compruebo cada día. Y aquí tenéis la oportunidad de comprobarlo conmigo:

Hiedra, la bailarina de *topless,* vino a verme cinco años después de que nuestra terapia terminara. Se fue a otro estado, se casó y tiene una hija. Cuando me visitó, tenía veintinueve años y trabajaba media jornada dando clases de arte a niños. Al ver que le iba bien, me llenó de alegría que hubieran parado generaciones de abusos en su familia, y me emocioné mucho cuando ella me dejó tomar en brazos a su hija. Ella me dijo: «Patti, no puedo decirte la alegría que me da mi hija y el saber que nunca sufrirá abusos como los sufrí yo.»

Margarita, la chica que sobrevivió al abuso imaginándose que era una superhéroe, me llamó hace unos años en relación a su primer caso como trabajadora social. Había luchado con éxito para que una víctima de abusos sexuales saliera de la casa de su padre y se sentía muy bien con su trabajo.

Coral, cuyo padre la violó durante tantos años en Holanda, está felizmente casada y acaba de terminar su primer largometraje, que ha sido presentado para un premio importante.

Cristal, que fue violada en una cita por el chico de la universidad que pensaba que era tan guapo, publicó su primera colección de poesía, y un poema describiendo su violación y el largo camino hacia el amor que le siguió.

Rubí, la chica cuyo padre la violó, así como a su hermana, volvió hace un par de años después de escribir su historia. Su hermana, que recordaréis que había estado viviendo en la calle como prostituta, ahora vivía con Rubí y con su marido, y se había decidido a presentar, junto a Rubí, cargos contra su padre.

Azucena, que fue violada por un grupo de chicos y pasó muchos años luchando contra la anorexia, ha empezado a trabajar de voluntaria en una línea telefónica contra la violación; además, estudia la carrera de periodismo.

Rosa, que escapó a la tortura catalogando flores y construyendo casas maravillosas en los bosques, tiene una feliz relación con otra mujer, y viven y trabajan juntas, con sus tres gatos y sus dos perros, en una granja en Montana.

Ágata, que sufrió abusos a manos de un instructor en un campamento cuando tenía doce años, acaba de tener un hermoso niño, y vive y trabaja en París con su marido.

Todas estas chicas han encontrado la fuerza al volverse visibles. Han contado sus verdades. Cada vez que una chica da un paso y cuenta su verdad, abriendo la caja de Pandora con su historia sobre el abuso sexual, ella también se vuelve visible. Al contar tu historia no sólo te aseguras tu propia curación, sino que también ayudas a que otras chicas lo cuenten. Juntas, estamos avanzando en nuestro camino hacia un futuro en el que los hombres ya no queden impunes después de haber abusado sexualmente de adolescentes y de mujeres.

Es posible. Sé que lo es. Como dijo antes esa sabia chica de dieciocho años, «tú puedes transformar ese montón de mierda en un pequeño campo de margaritas.»

Notas

CAPÍTULO 6
La herida más profunda. El incesto padre-hija

[1] Kay Jackson, un psicólogo que se especializa en el tratamiento de pedófilos, en una entrevista del año 2000.

CAPÍTULO 8
Confiar en el hombre equivocado. Abuso por parte de profesores, entrenadores, sacerdotes

[1] Puedes ver en writ.news.fidlaw.com/hamilton/20041230.html un análisis del paisaje legal en lo referente al abuso a manos de clérigos.

CAPÍTULO 10
La violación siempre duele. Violación a manos de un desconocido, violación en una cita, violación de grupo

[1] Según el Bureau of Justice Statistics Criminal Victimization Survey, 2002.

[2] *Sexual Violence on Campus Policies, Programs, and Pers-*

pectives, Allen J. Ottens-Kathy Hotelling Springer Series on Family Violence 2001.

[3] Humphrey, S., y A. Kahn (2000), «Fraternities, Athletic Teams and Rape: Importante of Identification with a Risky Group», *Journal of Interpersonal Violence*, citado en el Departamento de Justicia de Estados Unidos, Office of Community-Oriented Policing Services Acquaintance Rape of College Students por Rana Simpson, número 17.

[4] De acuerdo con el Report on Sexual Victimization of College Women (2001) por el Justice Department's National Institute of Justice y el Bureau of Justices Statistics, el 3 por 100; según B. Fisher y J. Sloan III (1995), *Campus Crime: Legal, Social and Policy Perspectives*, el 25 por 100 (Springfield, IL: Charles C. Thomas).

[5] Según *Ms*, la revista *online,* edición de verano 2004: «India, Malasia, Tonga, Etiopía, Líbano, Guatemala y Uruguay eximen a los hombres de las penas contra la violación si éstos, posteriormente, se casan con sus víctimas.» Una vez que se han casado, no existe violación desde el punto de vista legal.

[6] De acuerdo con Robin Warshaw, *I never called it Rape* (NY: Harper Perennial, 1994), el 75 por 100 de los hombres y el 55 por 100 de las mujeres implicadas en una violación estuvo bebiendo o consumiendo drogas antes de que ocurriera el ataque.

[7] De acuerdo con B. Fisher y J. Sloan III (1995), *Campus Crime: Legal, Social and Policy Perspectives* (Springfield, IL: Charles C. Thomas), menos del 5 por 100 de las mujeres que son víctimas de violación o de intento de violación lo denuncian a la policía. De acuerdo con el Bureau of Justice Statistics National Crime Victimization Survey, sólo el 39 por 100 de las violaciones y de los ataques sexuales se denuncian a funcionarios de organismos de seguridad del Estado; aproximadamente, uno de cada tres. Para mí, este porcentaje me parece muy alto.

[8] De acuerdo con el National Center for Policy Analysis, las

estadísticas de probabilidad recogidas de las estadísticas del Ministerio de Justicia de Estados Unidos sugieren que sólo uno de cada dieciséis violadores pasará siquiera un día en la cárcel.

[9] Extraído de www.nd.edu/-ucc/ucc_sexualvictimhospital.html

Sobre las autoras

Patti Feuereisen

Patti Feuereisen, una psicóloga que ejerce de forma privada en Brooklyn y en Manhattan, es pionera en el tratamiento del abuso sexual en chicas adolescentes y mujeres jóvenes. También da numerosas charlas sobre este tema en colegios de secundaria, universidades y en asociaciones profesionales. Su página web, www.girlthrive.com, se ha convertido en un importante centro de recursos internacional para las supervivientes de abusos sexuales. Patti Feuereisen tiene un doctorado en psicología. Vive en Brooklyn (Nueva York) con su marido, su hija y su perro, *Chancey*.

Caroline Pincus

Caroline Pincus ha estado desarrollando y colaborando en libros de ensayo durante más de veinte años. Desde hace mucho tiempo, Caroline trabaja como editora de adquisiciones para Harper-Collins en San Francisco y está apasionadamente comprometida con los libros que atribuyen poder a las mujeres y a las chicas adoscentes. Vive en San Francisco (California) con su hija y su mujer.

* * *

Una parte de los beneficios de la venta de este libro se ofrecerán a Girlthrive, un recurso educativo para supervivientes de abuso sexual y una fundación de becas universitarias para supervivientes de incesto, establecida por la doctora Patti en 2003 y apoyada fiscalmente por RAINN. Puedes escribir a la doctora Patti directamente, a través de su página web: www.girlthrive.com. Allí también encontrarás *chats,* enlaces, entrevistas con personas activas en el movimiento para parar el abuso sexual y muchos otros recursos sobre el abuso y la supervivencia.

Si deseas recibir información gratuita sobre nuestras novedades

- Llámanos

  o

- Manda un fax

  o

- Manda un e-mail

  o

- Escribe

  o

Recorta y envía esta página a:

 Neo Person

C/ Alquimia, 6
28933 Móstoles (Madrid)
Tel.: 91 614 53 46 - Fax: 91 618 40 12
E-mail: contactos@alfaomega.es - www.alfaomega.es

Nombre: ....

Primer apellido: ....

Segundo apellido: ....

Domicilio: ....

Código Postal: ....

Población: ....

País: ....

Teléfono: ....

Fax: ....

E-mail: ....

El abuso sexual